어떤 사람들은
'럭셔리'란 '빈곤'의 반대말이라고 생각한다.
아니다.
'럭셔리'는 '천박함'의 반대말이다.

(가브리엘 샤넬)

자기 가치를 높이는 럭셔리 매너

초판 발행 2016년 8월 25일

지은이 신 성 대
발행처 東 文 選

제10-64호, 1978년 12월 16일 등록
서울 종로구 인사동길 40
전화 02-737-2795
팩스 02-723-4518
이메일 dmspub@hanmail.net

북디자인 신 지 연

ISBN 978-89-8038-690-8 03380

자기 가치를 높이는

럭셔리 매너

신성대 지음

東 文 選

차 례

4
5

아름다운 자세를 갖고 싶다면,
결코 당신 혼자서 걷고 있지 않음을 명심하라.

(오드리 헵번)

제1장

눈빛

글로벌 무대에서 활약해 본 사람이라면,
첫인상이 얼마나 중요한지
달리 설명이 필요치 않을 것입니다.

비즈니스 세계는 물론
정치·교육·연예 등등, 거의 모든 분야에서
능력을 드러내는 사람들은
대개 그 눈빛이 강합니다.

간혹 오피니언 리더급 여성들 가운데

화장을 연예인처럼 짙게 하는 예가 있는데,
비즈니스 매너면에서 보자면
문제점이 많습니다.

이는 예쁜 유니폼에 그저 예쁘게만 보이려는
세계관 스타일 고유의 화장법으로,
스튜어디스 · 백화점 점원 등
서비스업에 종사하는 여성들의 화장법입니다.

이런 화장법은
주인마님 · 주인아씨 그릇 만드는
여성 리더십 교육에
절대 원용하면 안 됩니다.

주인마님은 입이 아니라
눈으로 사람을 이끕니다.
진정한 리더십 내공은
눈에서 나온다는 말이지요.

비즈니스 무대에서는 복장보다는 얼굴,

그 중에서도 자신의 눈에
상대의 시선이 집중되도록 끝까지 붙들어야 합니다.
그러지 못하면 상대방의 시선은
다른 부분을 훑으며
당신의 약점을 찾기 시작할 것입니다.

따라서 연예인처럼
복장이 화려해서도 안 되고,
귀걸이며 목걸이 등 액세서리가 너무 튀어
상대의 시선을

분산시키지 않도록 해야 합니다.

**또 여성들이 가장 많이 저지르는 실수는
입술색입니다.**
강한 색은 상대의 시선을 눈이 아니라
입술로 끌어가기 때문이지요.
그러니 진한 색은 피해야 합니다.

옷 역시 지극히 평범한 정장이어야 합니다.

대신 눈과 눈썹 화장은 진하게 하여
상대의 시선이
저절로 모이도록 하는 것이 좋습니다.
그래야 대화에 집중하여
소통이 잘 이루어집니다.

클레오파트라에게서
배워야 할
개미지옥 화장법

클레오파트라는 지도자입니다.

지도자는 굳이 예쁠 필요가 없습니다.

예쁘다고 해서 권위가 더 올라가는 건 아니니까요.

지도자는 눈으로 말합니다.
눈언저리를 검게 화장해 상대의 시선을 빨아들여서
눈만 기억되게 하는 것입니다.
마치 개미지옥처럼!

그래야 눈썹만 까딱이는 걸로도
의사소통을 해내고,
상대를 이끌 수 있게 됩니다.

레이저 눈빛으로
상대가 감히 쳐다볼 수조차 없게 하거나,
요란하게 튀는 옷이나 화장 및 액세서리로
상대의 눈빛을 흩뜨리는 것은
진정한 리더십도 매너도 아닙니다.

정장을 강조하는 이유가 반드시
비즈니스맨으로서의 예절이기 때문만은 아닙니다.

상대의 시선을 눈으로 끌어당겨
보다 효과적으로 소통, 교감에 집중하여

협상을 유리하게 이끌기 위해서입니다.

리더라면,
평소 평범한 정장 차림에서부터 글로벌 매너 내공을
쌓아 나가야 한다는 말이지요.

특히나 머리 빛깔이 검은 동양인에게 있어서
강한 유색 옷은 대략 난감입니다.
여간해서 잘 어울리지도 않을뿐더러
상대의 시선 집중을 방해합니다.

진정한 프로는,
원포인트(눈)만 유광(有光)으로 두고
나머지는 철저히 무광(無光) 처리해서
품격을 높일 줄 아는 사람입니다.

또 아래로 처진 안경 역시
상대방을 갑갑하게 만듭니다.
안경점에 들러 느슨해진 안경테나
코걸이를 원상으로 다잡는 수리를 받아
트릿한 이미지를 제거해야 합니다.

1분밖에 걸리지 않습니다.

다음으로, 자신의 얼굴에
상대방의 시선이 모아지는 것을 방해하는
깻잎머리는 과감히 자르거나 빗어올려야 합니다.

유럽의 점잖은 중상류층 사람들이
가장 싫어하는 게 삐딱이 깻잎머리입니다.
요괴 스타일 머리이지요.

상대는 자신을 잘 볼 수 없도록 가리고,

자신은 그 은폐물 뒤에 숨어서
뚫어지게 바라보는 듯한 인상을 주기 때문입니다.

아무튼 요괴와의 눈맞춤에
기분 좋을 사람 없을 것입니다.
하여 비즈니스 세계에선
바로 아웃입니다.

연예인들이 보다 어려 보이기 위해
얼굴을 작게 만드는 더벅머리 역시 매한가지입니다.
자신감이 부족하고 부정적인 이미지입니다.
답답한 느낌으로 소통을 방해하며,
이마를 가린 만큼 행운이 달아납니다.

이마를 가린 신사는 없습니다.
남녀 불문하고 이마를 훤히 드러내어
리더십을 길러 나아가야 합니다.

글로벌 리더는
눈으로 말한다!

전체적으로 얼굴은
포커페이스를 유지해야 합니다.

특별히 한국인들은 턱과 입술에 힘을 주어
입을 앙다무는 버릇이 있습니다.
하여 입장이 난처하거나 결심을 굳힐 때면

입에다 잔뜩 힘을 주는데,
그런다고 상대가 사정을 봐주거나
겁먹는 일일랑은 없습니다.

오히려 속내가 들여다보여
더 느긋하고 잔인하게 나옵니다.

그리고 고개를 끄덕여 가며 의사 표시를 하면
주인장 말씀(명령)에 동의하는,
즉 지고 들어가기 때문에

자칫 하수인 취급당할 우려가 큽니다.
따라서 협상에선
상대가 낮잡아 보기 십상이지요.

모나리자처럼
입은 항상 스위트스마일,
눈 빼놓고,
아무것도 움직이면 안 됩니다.

눈이 마음입니다.

얼굴에 긴장 풀고서,
먼저 눈썹으로 긍정·부정의 의사 표시를 한 다음
입(말)이 나가야 합니다.
물론 그것도 최대한 느리게!

고개를 한쪽으로 기울이거나
몸을 비트는 등,
지나친 제스처나 호들갑은
자칫 천박하게 보일 수 있습니다.

"글로벌 리더는 눈으로 말합니다!"

타인보다 우수하다고 해서 고귀한 것이 아니다.
과거의 자신보다 우수한 것이야말로
진정으로 고귀한 것이다.

(헤밍웨이)

제2장

악수

악수의 본질은 '손잡음'이 아니라
'눈맞춤'(Eye Contact)이라는 걸 아는 한국인은
그다지 많지 않습니다.

악수란
만남에 따르는 의례적인 행위에 그치지 아니하고,
한걸음 더 나아가 사회 활동 교섭인들 간에
서로의 눈을 쳐다보며
대화할 수 있는 상대인가를
상호 확인하는 인사법입니다.

서로의 시선을 마주치지 않으면,
소통이 잘 이루어지지 않았음으로 여기는 것이
'글로벌적 인식'이지요.

해외에서 중차대한 계약을 앞두고
저도 모르게 저지른 비즈니스상의 실수로 인해
기업 간의 합작건이 거의 성사되기에 이르렀다가
마지막 사인 직전에 깨어진 예도 부지기수이지만,
반대로 '멋진 매너' 때문에
의외의 성과를 거둔 예도 적지않습니다.

매너는 그저 그런 '인사치레'가 아니라,
비즈니스가 진행되는
'긴밀한 소통 과정'인 것입니다.

그리고 '글로벌 매너'란
글로벌 마인드로 세상을 보는 시야와 시각,
상대방에 대한 인식,
더하여 소통 능력을 키우는 것입니다.

악수는 인간이 나누는
여러 가지 인사 중
가장 보편화된 인사법

연전에 빌 게이츠 회장이
박근혜 대통령을 예방하면서
왼손을 바짓주머니에 넣은 채로 악수했다 하여

'결례'라며 한국인들이 크게 분개한 적이 있습니다.
그는 다른 나라의 지도자들과도
대부분 주머니 악수를 해 버릇합니다.

기실 글로벌 사회에서 그렇게 흔한 장면은 아니지만
더러 있는 일로서,
특히 미국인들에게서 간간이 보입니다.
친밀함을 드러내기 위해 상대의 어깨나 등에

손을 얹는 이들도 종종 있습니다.

그렇다 하여도 '관료'가 아닌

다만 성공한 기업가일 뿐이니,

그냥 가볍게 보아넘기면 그만인 것입니다.

그런 개인적인 버릇을 가지고

국가의 위신과 견주어 힐난해대는 것이

오히려 속좁은 일이지요.

글로벌 사회에선 통상 그 정도까지는

관용(똘레랑스)으로 용납해 줍니다.

물론 한국인에게 악수는

전래의 인사법이 아닙니다.

전통적인 인사법으로 원래의 절[拜]이 있으니,

악수란 여기에 친밀함을 더하는

부수적인 행위로 여겨질 뿐입니다.

그래서인지 '악수에도 매너와 품격이 있다'고 하면,

"그냥 손잡아 주면 그만이지

악수에 무슨 특별한 격식이 있단 말인가?"

싶어 의아해합니다.

그러나 서양에서 이 악수는
매우 디테일한 '소통 매너'입니다.
만만찮은 수업료가 드는,
미국의 중상류층 오피니언들을 상대로 한
'럭셔리 매너 교습'에서는
이 악수 한 가지를
한 달 내내 반복해서 연습케 합니다.

왜냐하면 악수 하나로 반가움, 호감, 청탁,
주장, 배려, 유혹 등등

만남의 의도를 상대방에게 암묵적으로 전달,
교감해내어야 하기 때문입니다.

근대화와 더불어 우리는 별다른 생각 없이
그 의미조차도 정확히 파악하지 못한 채
무작정 서양의 예법을 받아들였습니다.
악수가 그 대표적인 예 가운데 하나이지요.

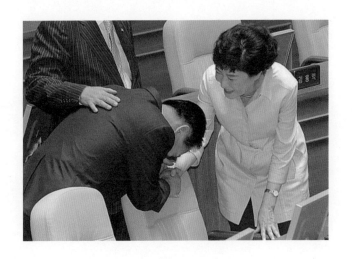

그런데 한국인과 외국인이 나누는
악수의 면면을 찬찬히 살펴보자면,

뭔가 상당히 어색한 느낌을 받지 않을 수가 없습니다.

물론 대부분의 한국인들은
그 차이를 눈치채기가 어려울 테지만 말이에요.

한국인들에게 있어서 악수는
인격체로서의 상호 존중의 표현이 아니라,
장유(長幼) 또는 상하의 확인 절차에 지나지 않습니다.

그에 반해 글로벌 매너는
'모든 인간은 동등하다'는
인식을 바탕으로 삼고서 출발합니다.

악수할 땐
상대방의 손을 보는 것이 아니라
눈을 보아야

가장 큰 차이점은
눈을 맞추고 안 맞추고의 차이입니다.
대개의 한국인들은 악수를 할 때

습관적으로 저도 모르게
상대방의 손 쪽으로 시선을 향하고 맙니다.
손잡음을 확인한 후에야
비로소 상대방의 눈을 바라보기 일쑤이지요.

그러고는 악수란 본디 그렇게 하는 것이지 않느냐고
항변하기까지 합니다.

하지만 악수를 하려던 외국인들은
순간 당황하기 마련입니다.

더욱 안타까운 사실은,
글로벌 영역에서 활약하는 사람들조차도
이러한 오류를 전혀 의식하지 못한다는 것입니다.

국제적인 비즈니스에 다년간 종사해 온
한국인들의 인사법을 보노라면,
외국인의 눈 아닌 손을 보며 악수하고 있음에도
정작 본인들은 눈을 보며 악수하고 있지 않느냐고
완전 착각하고 있다는 것입니다!

심각하게 살펴 들어가 보면,
상대방을 마음의 시야 밖에 두고서
건성으로 인사하는 습성이
몸에 아예 체화된 것으로 풀이할 수 있습니다.

상대의 손을 쳐다보아야 놓치지 않고
그 손을 잡을 수 있지 않겠느냐고요?
그런 걱정 안해도 됩니다.
안 보고 악수해도
절대 상대방 손을 놓치는 법일랑은 없습니다.

발끝에서 머리끝까지 자세를 곧추세우고,
만면에 온화한 미소를 띠우며
줄곧 상대의 눈길을 놓치지 않고 다가가면서
오른손만 내밀면 됩니다.

이때 상대와의 거리가 멀다고 해서
팔을 쭉 내뻗는 것은 모양새가 그다지 좋지 않습니다.

자세[人格]가 틀어지지 않을 만큼
적당히 팔을 뻗어야 합니다.

그래도 닿지 않는다면
상대방에게 더 가까이 다가서야 합니다.
가까울수록 더 친밀해 보이고,
그림도 멋있습니다.

또 상대방의 지위가 아무리 높다 해도
똑바로 쳐다보아야 합니다.

글로벌 사회에선 누구도
그걸 불손히 여기지 않습니다.

눈길을 피하는 것은
상대를 무시하거나 스스로 격을 낮추는 것,
아직 소통할 준비가 안 되었다는 뜻입니다.

손을 내밀 때 상대방의 손 쪽으로 시선이 향하는 순간,
바로 격이 떨어지고 마는 것입니다.
그래서는 절대 인격적인 대우를 기대할 수 없습니다.
첫인사부터 그렇게 무시를 당해서야
어찌 협상이 순조로울 리 있겠습니까?

악수는 인격체로서
서로 동격임을 확인하는 행위입니다.

한국의 절[拜]과
악수는 별개

노무현 대통령 시절 평양에 동행하였던

당시의 김장수 국방장관이

고개를 곧게 세운 자세로

김정일과 악수했다 하여

남한의 자존심을 지킨
영웅(?)으로 급부상한 적이 있습니다.

한국인들은 이 '꼿꼿 악수'를
사관생도나 군인들만의 인사법으로 알고 있지만,

실은 그게 글로벌 선진 문명 사회권에선
일상적인 인사법입니다.

악수할 때 허리 굽히고 고개 숙이는 나라는

전 세계에서 (일본의 정치인 등 일부 계층 포함)

대한민국뿐입니다.

상대가 갑(甲)일 경우에는

혹여 건방지다고 여기지나 않을까,

불이익이 따르지나 않을까 하여

공손과 복종의 표시로

그저 엎드려 큰절이라도 올릴 수 없어

죄송스럽다는 듯

최대한으로 허리를 굽히며,

또 어깨는 움츠리고 고개까지 숙여 가면서,

두 손 모아 악수를 합니다.

이를 글로벌적 시각에서 보자면,

세상에서 가장 비굴하고 천박한

인사법이 되고 맙니다.

글로벌 무대에서 이러한 굽신 악수는 자살골입니다.

그렇지만 작금의 대한민국 관습에선

글로벌 정격 악수만을 고집했다가는
십중팔구 버르장머리 없는 망아지로
오해받을 수밖에 없습니다.

그러므로 배례와 악수를 구분해서
적절히 구사할 필요가 있습니다.

그러니까 어른이나 모셔야 할 상급자일 경우
먼저 한국식으로 절[拜]인사를 한 후,
상대가 손을 내밀면

그때 글로벌 정격 자세로 악수를 하는 것입니다.

단 국제 관계나 공적인 행사,

외국인을 대할 때에는

악수만으로 인사하여

글로벌 기준에 맞추도록 해야겠습니다.

글로벌 시대를 살아가자면

레퍼런스 프레임을 많이 확보하고 있을수록

유리합니다.

글로벌 신사들은

악수 하나로 그 사람의 됨됨을 파악하기 때문입니다.

자기 존중, 인간 존엄성에 대한

확고한 인식이 없는 사람을

그들은 결코 친구로 받아들이지 않습니다.

글로벌 세계에서
자라목은 하인 매너

그런가 하면 한국인들이 흔히 하는
약식 인사법인 목례(目禮) 또한 문제가 많습니다.

목례란, 눈[目]인사이지 목[頸, 고개]인사가 아닙니다.

고개를 까닥이는 것이 아니라 '눈 방긋'을 말합니다.

게다가 한국인들은 정도의 차이는 있을망정
하나같이 자라목입니다.
허리를 구부정히 꺾으면서 어깨를 움츠려
목을 앞으로 쭉 빼는 바람에 볼품없이 천해 보입니다.

이런 인사법이 부지불식간에 한국적 전형으로 굳어져
한국인들 가운데 어깨를 바르게 편 사람을
찾아보기가 힘들 정도입니다.

오랜 세월에 걸쳐 체화된 식민 사대 근성 때문인지
서양인이나 대국인 앞에서는
이 같은 현상이 더욱 심해집니다.

그리고 이 굽은 몸자세 때문에
한국의 유명 배우며 스포츠 스타들 누구도
글로벌 상류층 사교 클럽에 들지도 못할뿐더러
흔한 글로벌 광고 모델 하나 따내지 못하는 것입니다.
인격(자세)이 바르지 않다는 거지요.

고개를 끄덕이거나 턱을 내미는 자라목 인사법은
짐승들 간의 인사법으로 여겨
글로벌 신사들은 내심 질색을 합니다.

공손함이 지나치면 비굴이 되는 것입니다.
당연히 이런 사람들은 복종형으로
주체성과 책임감이 부족할 수밖에 없습니다.

하여튼 한국인들이 악수를 나눌 때
눈맞춤을 못하는 근본적인 원인은

우리의 절인사[拜禮]에 있습니다.

공경의 뜻으로 몸을 굽히면서
고개를 깊이 숙이는 인사법이고 보니,
저절로 눈을 내리깔게 되어 버린 게지요.

그로 인해 상대와 소통·교감하는 능력은 물론
대화며 토론·협상력까지 떨어져
글로벌 비즈니스 무대에서
삼류로 대접받을 수밖에 없습니다.

한국의 예절 교육은 '예(禮)' 자체를 중시해서
'전통'과 '공손' '서열 확인'만
강조하고 있습니다.
예(禮)의 본질인 '인격 존중'과
'소통'에 대해서는 개념조차 없습니다.

지금 우리의 어린이들에게 가르치는 배꼽인사는
장래에 그들을 글로벌 하인으로 만들고 말 것입니다.

인사는
소통을 위한 인격적 행위

게다가 악수할 때의 가장 나쁜 한국인들의 버릇은
일타이피(一打二皮) 악수법입니다.
악수를 하자마자 그 손을 잡은 상태에서
다음 사람에게로 눈길을 옮겨 버리는 것을 말합니다.

대한민국의 대다수 지도자들이
종종 이런 왕싸가지 악수법을 거리낌없이 사용하여,
사람을 대놓고 무시하는 듯한
인상을 초래하고 있습니다.

특히 외국인들은 이 악수법에
심한 모욕을 느낍니다.
아무리 바쁘고, 인사를 나눌 사람들이
줄지어 늘어서 있다 하더라도
이왕지사 또박또박 분명하게 한 사람 한 사람씩
예를 다하여 눈 방긋─악수해야 합니다.

그리고 악수할 때 손을 힘 있게 꽉 잡아야 한다느니,
서너 번 흔들어야 한다느니 하는 원칙 따윈 없습니다.
그때그때 상대에 따라서 적절히 응대하면 됩니다만,
디테일한 것은 따로 배워야 합니다.

또 상대가 숙녀일 때
드물게 손등을 내미는 경우가 있는데,
이때 대개의 서양 남성들은

자동적으로 허리를 굽힙니다.
숙녀의 손가락을 가볍게 잡고서 허리를 굽혀
손등에 입맞춤을 해주어야 하기 때문입니다.
단, 상대가
치마 정장을 갖추어 입었을 때에 한합니다.

만약 바지 차림의 숙녀가 이 같은 행동을 취하면,
꼴불견으로 치부하여 멸시당하기 십상이랍니다.

그리고 서양에선 나어린 소녀라 할지라도

치마 정장을 갖추어 입었을 경우에는
숙녀와 동등하게 대합니다.

끝으로, 이미 친분이 있는 사람과는
(특히 여성에 대해서는)

허그(hug)나 비주(bisou, 볼키스)를 해주는 것이
신사의 매너입니다.

이런 인사법에 익숙하지 않은 한국인들은

상대를 껴안을 때 겨우 어깨 정도만 갖다댑니다.
이 경우 내키지 않는다는 모양새가 되면 곤란합니다.

허그는 배꼽인사라고 생각하고,
바른 자세에서 당당하게
배와 가슴을 갖다붙여서 껴안아야 합니다.

상대가 어린이일 경우에는 무릎을 꺾어앉아
눈높이를 맞춘 상태에서
악수를 하거나 껴안습니다.

어떤 형태의 인사든 목적은 소통에 있습니다.
태도가 바뀌면 마음도 바뀝니다.

소국 근성, 사대 근성, 피식민 근성도
정격 악수로 극복할 수 있습니다.

인격은 동격입니다.
인격에는 계급이 없습니다.
품격만이 있을 뿐입니다.
그리하여 차별은 없지만, 구별은 있습니다.

아무쪼록 악수할 땐 손보다는 눈에
무게 중심을 둬야 한다는 걸 잊지 마시기 바랍니다.

당신의 스타일은
주변 사람들에게 매우 중요한 메시지,
바로 당신이 누구이며 어떤 사람인지,
또 당신이 세계에 대해 가지고 있는
희망과 꿈을 말하여 준다.

(힐러리 클린턴)

제3장

명함

품격 있는 명함은
'종이의 질'부터가 다르다!

명함은 그 자신의 얼굴입니다.

우선 '명함 종이의 질'이 중요합니다.
빤질빤질한 재질은 곤란하지요.

반드시 연필이나 볼펜으로도
별탈없이 글씨가 쓰이는, 흡수성 좋은
겸허한 분위기의 재질이어야 합니다.

황금색 금속판으로 만든 명함은
"나는 졸부입니다!"
라고, 광고해대는 꼴입니다.

외국인 VIP 접촉담당 직원의 명함 인쇄는
'동판 요철 인쇄'가 기본입니다.

또 양면 인쇄는 금물입니다!

한국을 비롯한 동남아 사람들이
앞뒤로 영문/현지어 겸용 인쇄된
명함을 내밀곤 하는데,

홍콩 등 한영(漢英) 병기의
특수한 필요성이 있는 지역이 아니라면, 이는
"우린 가난해서 두 개를 따로 만들 여력이 없소!"
라는 옹색한 변명으로 받아들여지고 말 터입니다.

게다가 우리나라 명함의 대부분은
회사명을 가장 위로 올리는데,
여기에도 구분이 있어야 합니다.

임원급 이상이라면
그 이름이 맨 위로 가도록 하고,
회사명은 아래쪽으로 내리는 게 좋습니다.

**임원급 정도면
회사보다는 그 인격체를 더 중요하게
생각해야 하기 때문이지요.**

한편 부장 이하 일반 직원들은
회사명을 앞세우고, 직책과 이름을
그 다음에 위치시킵니다.

BARACK OBAMA
STATE SENATOR
13TH DISTRICT

105D CAPITOL BUILDING
SPRINGFIELD, ILLINOIS 62706
217/782-5338

2152 E. 71ST STREET
CHICAGO, ILLINOIS 60649
773/363-1996
FAX: 773/363-5099

그리고 회사나 소속기관의 로고가
다소 번잡한 느낌을 초래할 가능성이 있다면
대기업 오너며 회장, 사장, 부사장,
등재이사, 기관장의 경우
명함에서 생략합니다.

그 정도의 위치에 있는 사람이
굳이 자신이 어느 회사나
어느 기관의 장이라고 강조하거나,
회사 로고 홍보하는 것처럼 비치는 건
궁색스러워 보이기 때문입니다.

대기업 대표나 장관급이면
그 '직함' 또한 가급적 명기하지 않습니다.

대한민국 국민이면 다 알 만한 유명 가수가
자기 명함에 '가수'라고 쓰는 것과 같은 격이니까요.

스포츠 선수라든가 전문직 종사자라면
그 종목을 표현하는 그림 도안이 들어가도 괜찮습니다.

명함의 글씨체 또한
직종의 성격상 개성적이려면

우아한 필기체 스타일, 혹은
고전적이고 점잖은 서체여야 합니다.

그리고 명함 하나에 모든 걸 다 걸겠다는 식으로
지나치게 화려히 디자인하거나,
온갖 직함을 빽빽이 싣는 것도 피해야 합니다.
자칫 술집 웨이터나 외판 영업사원
취급받을 수 있습니다.

명함의 디자인은 간결한 것이 최상입니다.
동양화의 여백의 미(美)처럼.

'비즈니스 카드'와 '소셜 카드'는
따로 만들어야!

외국인을 상대로 하는
활동이 많은 이들의 명함은
반드시 네 개 이상이어야 합니다.
한글 영업용 명함과 사교용 명함,

영문 영업용 명함(비즈니스 카드)과
사교용 명함(소셜 카드)이 그것입니다.

특히 여성 책임자라면
여성성을 강조한 사교 명함은 필수입니다.

리셉션이며 파티 등에서
폭넓은 인적 네트워크를 형성해 갈 때
사적인 연락처를 추가로 건네는 게
강력한 무기로 작용할 가능성이 높기 때문이지요.

비즈니스 명함과 달리 사교 명함은
가로 세로를 3밀리쯤 줄여 슬림하게 만듭니다.

여기에는 사적인 전화번호와
꽃바구니 등 소소한 선물을 주고받을 수 있는
우편 주소, 또 개인 메일 주소만을 싣습니다.

그리고 사교 명함은 반드시
사교용 명함 봉투에 넣어서 사용해야 합니다.

메신저나 부하직원편으로 명함을 보낼 경우,

그 내용이 보이는 것은

누드 차림처럼 품위가 떨어지기 때문이지요.

또 개인적으로 꽃이나 케이크·책 등을

선물로 보낼 때에도 사용해야 합니다.

만약 이때 비즈니스 명함을 넣어보내면,
선물을 받는 쪽에서
'엉? 회사 돈으로 사보낸 거야?'
라고 생각할 수도 있기 때문이지요.

비즈니스 명함은
불특정 다수에게 줄 수 있지만,
사교 명함은
특별한 대우와 관리가 필요한 인사,
즉 타깃 인사에게만 줍니다.

가령 리셉션이나 디너의 시작 무렵에는
비즈니스 카드를 주었다가,
헤어질 즈음하여서는 소셜 카드를 추가적으로 건네며
연락을 바란다는 메시지를 전하는 것입니다.

그런가 하면 대개의 한국 주부들은 명함이 없습니다.
'직장을 다니지 않으니 명함이 없는 게
당연하지 않느냐'는 생각은
어리석거나 무책임한 변명에 지나지 않습니다.

요즘은 주부라 해도 봉사며 취미·여가 등,
시민 사회 활동에 참여하는 일들이 잦습니다.
하여 전업 주부라 할지라도
소셜 카드 정도는 반드시 지니고 다녀야 합니다.

'영문 명함'도 깔끔하게

영문 명함에는
이름 석 자를 다 넣지 않습니다.
외국인들이 한국 이름들을 발음하기가 쉽지 않아
기억하는 데 오히려 방해가 될 뿐이니까요.
예로 'C. J. Lee' 또는 'James C. Lee' 처럼

영문 이니셜이나 애칭을 사용하는 게 좋습니다.

그리고 영문 주소는
굳이 'Republic of Korea'까지 넣어
소국 근성을 드러내지 말아야 합니다.
비즈니스 세계에서는
애국심보다 소통이 먼저입니다.

이는 공공기관의 장이라 해도 마찬가지입니다.
서구인들은 명함에 국명을 넣지 않습니다.
평소에도 그들은 '시민'이란 용어를 쓰지
'국민'이란 용어를 쓰지 않습니다.

또 우편 번호는 주소 뒤에 넣되,
그것도 기관장이나 임원급 이상
비서를 둘 만한 인사는 넣지 않습니다.

전화 T, 팩스 F, 이메일 E 등 지나친 약자로
상대를 피곤하게 만들지도 말아야 합니다.
무슨 뜻인지 모르는 외국인들이 많기 때문이지요.

또한 명함은 반드시 별도의 명함지갑에
넣고 다녀야 합니다. 예의 명함 지갑은
금속성이나 플라스틱·자개함 따윈 금물입니다.
인간적인 냄새가 나는 가죽이나 천이어야 합니다.
명함 역시 인간 친화적인 소통이
최우선 목적이니까요.

게다가 그 지갑 속에
명함을 잔뜩 챙겨 가지고 다니는 것도
미련한 영업사원 같아 보이기 쉽습니다.

'명함'에 대한 예의

명함을 받자마자
바로 명함 지갑에 넣어 버리거나,
호주머니에 집어넣으면 큰 실례입니다.

책상 위 왼쪽에 놓되

반드시 먼저 자신의 명함 지갑을 깔고,
그 위에 상대의 명함을 올려놓습니다.

책상에 바로 내려놓는 것은
상대를 맨바닥에 그냥 앉히는 것과도 같습니다.
명함 지갑이 곧 '방석'인 셈이지요.

상대가 여럿일 경우에는
여러 장을 모두 좁다랗게 이어붙이듯
가지런히 펼쳐서 얹어 놓아야 합니다.

이윽고 면담이 끝난 후,

그러니까 자리를 뜰 때에야
비로소 명함 지갑에 넣습니다.

비록 명함 한 장일 뿐이지만
글로벌 선진 문명 사회에선 그 하나만 보고서도
'저 정도로 섬세하게 자신을 관리하는 사람이라면

다른 일, 특히 지금 협의중인 프로젝트에 대해서도
명함과 마찬가지로 빈틈이 없을 것이다.
그러니 저 사람과는 거래를 해도
안심할 수 있겠다!'고 판단합니다.
명함은 인격의 신용장입니다.

먹는 것은 자기가 먹고 싶은 것을 먹되,
입는 것은 남을 위하여 입어라!

(벤저민 프랭클린)

제4장

차마시기

받침접시는 인격이다

서구의 레스토랑에서는 먼저 커다란 접시가 깔리고,
그 위에 각종 요리가 코스별로 놓입니다.
이른바 방석접시입니다.

드물게 이 방석접시가 두 장,

심지어 석 장까지 겹쳐 깔리기도 하는데
그만큼 존중한다는 의미를 담고 있습니다.

마찬가지로 동서양을 막론하고
차를 내올 때에는 찻잔만 달랑 내놓지 아니하고,
반드시 찻잔 아래에 접시를 받칩니다.

야외나 공사장, 기숙사 식당이나 휴게실같이

격식을 따질 수 없는 곳에서는
셀프서비스로 잔받침 없이
그냥 머그잔을 사용하기도 하지만,
응접실이나 레스토랑에서는
반드시 받침접시 위에 찻잔이 올려져 나옵니다.

그러면 한국인들은 너나없이
예의 받침접시는 테이블에 그대로 둔 채
한 손으로 찻잔만 들어 입으로 가져갑니다.

그렇지만 서구인들은 물론이려니와
동양인이라 해도 점잖은 인사들은 한결같이
잔받침까지 함께 들어서 턱 아래께까지 가져온 다음
한 손엔 받침접시를, 그리고
다른 한 손으로는 찻잔을 들어 입으로 가져갑니다.

바로 이 상투적인 장면 하나
제대로 따라 하지 못하는 바람에 한국의
영화나 드라마가 짝퉁 대접을 받고 마는 것입니다.
서구에선 일반 서민이라 해도 한 손으로 찻잔만 들어

마실 리가 만무하기 때문입니다.

그런데 한국의 최상층이라 자부하는
회장님 및 사모님은 물론 심지어 대통령이며
장관까지도 달랑 찻잔만 들고서 마시기 예사입니다.
그러니까 배역과 매너가 일치하지 않아
거북살스러운 것이지요.

영화와 드라마뿐만이 아니라,
심지어 커피를 판매하는 기업들의
광고 이미지 또한 하나같이 그 모양새입니다.
커피를 수입해 팔 줄만 알았지
매너(문화)가 뭔지도 모른다는 뜻입니다.

왜 이렇듯 친숙한 이미지를 하고많은
저 커피 마니아들조차도 따라 하지 못하는 걸까요?

비록 차 문화가 발달하지 못했다 하더라도
우리는 제사상에 차나 술을 올릴 때
반드시 잔받침을 합니다.

안타깝게도 이 매너가 커피 문화엔
따라오지 못한 까닭입니다.

받침접시는 옷에 차를 흘리는 것을
방지하기 위해서이기도 하지만,
인격 존중의 방석과도 같은 의미입니다.
손님을 맞이할 때 방석을 내놓는 이유가
설마 바닥을 더럽히지 말라는 의미가 아니듯

받침접시 역시 테이블에
차 흘리지 말라고 내놓는 것이 아닙니다.

그러니 마시는 사람도 항상
받침접시와 함께 찻잔을 이동시켜야 합니다.
찻잔은 '세트'입니다.

또 귀한 손님에겐 받침접시를 두 장 깔기도 합니다.

"세 살 적 버릇 여든까지 간다"

이는 다시 말해
"매너는 세 살 때부터 배워야 한다"는
의미로 되새겨야 하지 않을까요?

차나 커피를 단순히 입가심용 기호품으로만 여겨

마시는 데만 열중하는 건 부끄러운 일입니다.

이런 지극히 초보적인 에티켓조차
지키지(배우지) 못해
글로벌 무대에서 후진국민으로 취급받고 있으니,
동방예의지국으로서 체면이 영 말이 아니지요.

점잖은 자리에서의 숙녀라면,

받침접시 없이 나오는 차나
머그잔에 담겨 나오는 커피는 차라리
마시지 않는 것이 품위를 유지하는 지혜입니다.

더하여 받침접시며 찻잔을 드는 자세와
손가락의 모양새로도
남다른 멋스러움을 표현해낼 수 있습니다.

그리고 손님으로서 차 대접을 받으면
그 차의 맛이나 향에 대해 살짝 칭찬을 더하는 건
좋은 매너입니다만,
커피와 관련한 상식이나 브랜드에 대해
장황한 품평을 늘어놓거나 감탄사를 남발하는 건
오히려 품격을 떨어트리는 행위랄 수 있습니다.

또 대다수 한국인들은 식후 디저트로
차를 마실 즈음이면 그만 자세가 흐트러져 버리는데,
이는 매우 심각한 실수가 아닐 수 없습니다.
반드시 허리를 곧추세운
바른 자세를 유지해야 합니다.

글로벌 중상층 오피니언들이나 명문가 사람들은
차를 마시는 중에도 격조가 남다릅니다.
대화중 테이블 위의 찻잔을 들고 놓는 데도
결코 상대방을 향한 시선을 거두지 않습니다.

다시 말해, 찻잔을 보지 않고 들었다 놓았다 하는데도
전혀 어색하지 않고 자연스럽다는 말입니다.
이처럼 차를 마시는 순간에도
상대방에 대한 배려심을 놓치지 않아야 하는 것입니다.

커피,
맛이 아니라 멋이다!

"하나를 보면 열을 안다"고 합니다.

매너를 알면,

차 마시는 폼 하나만으로도

그 사람의 내면 세계를 들여다볼 수가 있지요.

자기 존엄조차도 지킬 줄 모르는 이가
협상 상대, 고객, 불특정 다수와 소통하고
배려할 수 있으리라 생각하는 선진시민은 없습니다.

글로벌 비즈니스 본선무대에서의
처절한 실전 경험이 없는 대부분의 한국인들은
"그깟 받침접시 하나 가지고
뭘 그리 심각하게 따지고 드느냐?

그냥 자기 편한 대로 마시면 그만이지!"
하고, 관대하게들 말해 버릇합니다.

물론 남의 문화나 관습을 존중하기 때문에
그만 일로 사람을 괄시하는 경우는 없겠지요.
상대방의 무매너를 지적하는 것 또한 결례이기에
면전에서 내색하는 일 역시 없습니다.
그렇지만 모든 것은 거기까지입니다.

업무적인 관계 이상으로 절대 발전시키지 않습니다.
진정한 파트너, 친구로 받아들이지 않는다는 말이지요.

모든 인간은 평등하고,
인격은 존중되어야 마땅하지만
문명 사회에서 품격의 차이가 없을 순 없습니다.

어쩌면 구별짓기가 인간의 본성 아닐까요?
반상(班常)의 구별이 사라지고,
직업에 대한 귀천 또한 사라졌지만,
인품의 차이는 결코 무시되어질 수 없습니다.

품격이 없거나 분방한 사람들은 그 격,

즉 매너를 무시해 버리거나

인정하려 들지 않을 테지만,

나름 품격을 지녔다고 자부하는 이들은

절대로 포기하지 않을 터입니다.

매너란, 인간 존엄의 표현이자

'인격적 가치의 척도'이기 때문입니다.

글로벌 매너란,
글로벌 마인드로 세상을 보는 시야와
상대방에 대한 인식, 그리고 당당히 대우받기,
전인적 소통 능력 및 협상 능력을 키우는 것입니다.

동서고금을 막론하고 문명 사회에서
차는 소통의 도구입니다.
얼마나 귀한 차를 마시느냐가 중요한 것이 아니라
어떻게 마시느냐, 곧 누구와
무슨 이야기를 나누느냐가 중요한 것입니다.

우리가 반복적으로 행하는 것이 우리 자신이다.
그렇다면 탁월함은 행동이 아닌 습관인 것이다.

(아리스토텔레스)

제5장

테이블 매너

기본은 바른 자세

파티의 호스트를 해보지 않은 사람은
'진정한 리더십'이 뭔지 알지 못합니다.

얻어먹기만 하면서
출세하기까지 굽신대기나 하는,

또 갑(甲)의 자리에서 접대만 받아 본
한국의 엘리트들 가운데
정품격 글로벌 매너를 갖추고
호스트로서의 역할을
제대로 해본 이들이 얼마나 있을까요?

그러니 그게 얼마나 어렵고, 중요한지를
알 리가 없습니다.

'리더십'은
'테이블 매너'로 길러야

남녀노소를 불문하고
사관생도처럼 바른 테이블 자세면
글로벌 사회에서
일단 기본은 갖춘 셈입니다.

미국의 유색인들, 또 동양계 이민자들이
예의 '바르지 않은 몸자세' 때문에
주류 사회에 편입되지 못하고 있음에도
당사자들은 그 사실을 잘 깨닫지 못하는 듯싶습니다.

흔히 테이블 매너라 하면
먼저 좌빵우물이며, 포크와 나이프 · 스푼,
와인잔의 위치 등에 대하여 말합니다.

하지만 이러한 것들에 대하여는

하등의 신경 쓸 필요도 없거니와,
군이 따로 배워야 할 일들도 아닙니다.

이와 같은 것들은 웨이터·웨이트리스 등,
서비스업종에 종사하는 이들이
어련히 알아서 할 바이지요.
손님들은 그러한 것들에 관심을 두지 않습니다.

식탁에서 가장 중요한 건 매너!
그 중에서도 몸자세입니다.

테이블 매너의 기본은
바른 몸가짐에서 출발합니다.

서양인들은 식사 때 냅킨으로 앞섶을 가립니다.
하지만 한국인들은
굳이 그런 가림수건이 필요치 않다고 여겨
사용하지 않을 뿐만 아니라,
고작 식후 입가를 훔치는 데 사용하고 말거나

아예 처음 놓인 그대로 내버려둔 채
식사를 마치기도 합니다.

그러고는 서양인들이 지나치게 깔끔을 떤다거나,
손으로 음식을 집어먹던 서양의 보통 사람들이
포크와 나이프를 사용하게 된 지도
불과 2백 년밖에 안 되었다고들 낮춰보기도 합니다.

그들은 식사 때 등을 곧추세우기 때문에
냅킨으로 앞섶을 가리지 않으면 안 됩니다.
왜 그렇게까지 불편함을 자초하느냐고요?
우리처럼 입을 그릇 가까이에 갖다대면,
심지어 국이라 해도 흘릴 일이 없을 텐데 말예요?

하지만 서양인들의 관념에선
고개를 숙여 음식에 입을 갖다대고 먹는 것은
성숙하지 못한 행위로 여겨집니다.
그만큼 성숙한 인격체로 대우하기가
쉽지 않다는 말입니다.

게다가 한국인들은 하나같이
식불언(食不言)!

서양인들에게 있어서 식사는

단순히 배고픔을 해결하기 위한 밥먹기가 아닙니다.

대화와 소통의 장으로서 식담(食談)을 즐기지요.

이 또한 중국에서도 마찬가지입니다.

관심과 배려에서 상대[話者]를 주시해야 하기 때문에
상체를 꼿꼿이 세워 시선을 상대방의 눈에 둔 채로
앞에 놓인 접시의 음식을 입으로 가져갑니다.

바른 자세에서
상대를 통제할 수 있는 힘이 생깁니다.
그리하면 차츰 시야의 폭이 넓어져
테이블 전체를 조망할 수가 있게 됩니다.

【럿그러브 스쿨의 밥상머리 교육】교내 식당에서 선생님이 학생
들에게 음식을 나누어 주고 있다. 식탁별로 교사 1명과 학생 9명이
함께 앉는데, 각자의 자리가 정해져 있다. 식사가 끝날 때까지 차분
한 분위기가 유지된다. 모두 바른 자세에서 음식을 입으로 가져가고
있다. 영국 왕실의 윌리엄 왕세손과 해리 왕자도 이 학교를 나왔다.

남을 바로 본다는 것은,
곧 남도 나를 보고 있다는 의식을
놓치지 않게 해줍니다.

그래야 호스트(호스티스)로서
파티나 회합을 주재할 때
저 멀리 구석구석까지를 한눈에 꿰고
제어할 수 있는 능력이 생기는 것입니다.

【패밀리의 중요성을 강조한 미국 TV드라마 〈소프라노스〉의 디너 장면】 이탈리아 출신 마피아 보스의 가정임에도 불구하고 상체를 곧추세운 바른 자세와 음식보다 화자에게 시선을 집중하는 정품격 매너를 갖추었다. 가족성이 좋지 않으면 조직도 잘 다스릴 수가 없다고 보는 것이다.

기드온의 3백 용사 이야기

성경의 〈사사기〉 제7장에 기드온의 3백 용사 이야기가 나
온다.

기드온이 그를 좇아온 백성들을 모두 모아 골짜기 반대편의
적과 대치하게 되었다. 그러자 여호와께서 백성들이 너무 많
은즉, 두려워하는 자는 돌려보내라 하니 2만 1천 명이 돌아
가고 남은 자가 1만 명이었다. 그러나 여호와께서 다시 그 1
만 명도 너무 많다 하였고, 그들 모두를 강가로 데려가 물을
마시게 하였다.

하여 그 백성들 가운데 개처럼 엎드려 물을 마신 자와 무릎을
꿇고 물을 마신 자들을 가려 모두 돌려보내고 나니 남은 자가
3백 명뿐이었다. 손으로 물을 떠서 마신 자들이었다. 여호와
께서는 그 3백의 용사들에게 야습할 것을 명해 적을 물리쳐
승리를 거두게 하였다.

그들은 물을 마시기 위해 머리를 숙이지도, 또 무릎을 꿇지도
않고 쪼그려 앉되 바른 자세로 손바닥으로 물을 떠서 입에 갖
다대어 핥아먹었다.
물을 마시면서도 눈길은 강 건너편의 적을 주시했다. 그래서
고개를 숙이지 않았던 것이다.

그런 게 리더십입니다.

매너란
소통을 통해 상대와 교감하는 윈도우,
곧 창(窓)이자 도구입니다.

이런 자세가 몸에 배게 되면,
어느 순간 상대들을 조감도처럼 내려다보고
그 속내를 훤히 통찰해 들여다보는
내공이 생기는 것입니다.

그제야 협상을 유리하게 끌고 나가는
창조적 솔루션이 가능해지는 것이지요.

그것이 주인장으로서의
글로벌 비즈니스 매너의 하이라이트입니다!

눈맞춤을 절대 포기하지 마라!

(스티븐 스필버그)

제6장

건배

정품격 건배로
자기 가치 높이기

한국인의 건배 자세는
글로벌 매너면에서 보자면 완전 어글리입니다.

'챙!' 할 때 상대방과 눈맞춤을 하지 못함은 물론

어깨와 목까지 움츠려
보기에 민망스럽기 짝이 없습니다.

아직도 전근대적인 관념이 뿌리 깊게 남아 있어서인지
건배하는 데도 갑(甲)과 을(乙)이 확연히 구별됩니다.
심지어 대통령이며 외교관들까지
굽신 건배를 일삼고 있습니다.

서부극에서 총잡이들이 총을 겨눌 때,
상대를 주시하지

아무도 자기의 총을 내려다보지 않습니다.
또 적을 주시하고 있는 상태에서
재빨리 허리춤의 총을 꺼내들지요.

와인잔 역시 마찬가지입니다.
악수할 때처럼 건배를 할 때에도 잔을 보지 말고
상대의 눈을 보아야 합니다.

식사 도중 와인을 마실 때에도
와인잔을 보면서 집어들면

아직 한참 하수(下手)인 겝니다.

글로벌 신사들은 이때에도 잔을 보지 않고
오른손으로(약간 더듬거려도 괜찮습니다)
스템(stem)을 살짝 잡아 들어올립니다.

다섯 손가락으로 꽉 잡으려 애쓰지 말고
엄지와 검지로 걸 듯이 가볍게 들어올려
입으로 가져오면,
소통 매너에 상당한 내공을 지닌 인물로
인정받을 수 있습니다.

상대방과 대화를 나눌 때조차도 마찬가지입니다.
그만큼 상대방의 이야기에 관심을 가지고
경청하고 있다는 표시이기 때문입니다.

**건배는 잔으로 하지만,
소통은 눈으로 합니다.**

와인을 마실 때
저지르기 쉬운 실수들

점잖은 자리에서의 정격 건배는
첫잔(스파클링 와인 혹은 화이트 와인) 한 번만 합니다.

한국식으로 시도때도없이 건배를 해대며

강권해서 취하게 하거나,
대화의 흐름을 끊는 행위는 금물입니다.

물론 중간중간에 새로운 요리가 나와
분위기를 환기시킬 필요가 있을 때나,
대화중에 축하할 만한 일이 생기면
가볍게 잔을 부딪치는 정도는 괜찮습니다.

그렇지만 간만에 스트레스 푼답시고 마구 마셔댔다간
글로벌 비즈니스 무대에서 바로 아웃입니다.

취한 모습을 보이면,
그 사교 클럽에서 영영 퇴출인 것입니다.

그리고 상대방이 잔을 만지작거릴라치면
그 대목을 놓치지 말고 자신의 잔을 살짝 들어올린 후
눈 방긋과 함께 잔을 까닥거려
리모트 건배를 해주어야 합니다.

반대로 자신이 마실 때에도
그냥 혼자서 훌쩍 들이켜 버리지 말고

잔을 들어올리기 전
손목에 스냅을 걸어 일시 정지시킨 후,
상대방이 건배 팔로우해 오기를 기다렸다가
함께 리모트 건배를 하고 나서 마십니다.

저런 사람과 일하다간 같이 망할지도 모른다는
느낌을 가지게 하는
'외로운 술꾼(lonely drinker)'으로 비쳐지느냐,
아니면 상대방과 팔로우 잘하는,
어느 고급한 자리에 동행해도
손색이 없을 만큼 투자 잠재력이 큰
'우아한 와인 애호가(wine lover)'의 이미지를
갖게 하느냐가 여기에 달려 있습니다.

취하기 위한 술자리는 없다

잔의 수위가 낮아지면
호스트가 수시로 채워 줍니다.

한국인들이 흔히 하듯
호스트도 아니면서 병을 잡아

호스트나 다른 손님에게 와인을 따르는 행위는
크나큰 실례가 아닐 수 없습니다.
그랬다가는 필시 '남이 차려 놓은 상에서
자기가 왜 생색을 내는가?' 싶어서
이상한 사람으로 취급받습니다.

와인을 따르는 일은
웨이터나 돈을 내는 주최측 호스트의 몫이니,
손님들은 편안히 대접만 받으면 되는 것입니다.

그리고 한국에서
외국인 비즈니스 파트너와 함께 한식당을 찾아
전통술을 대접하는 경우에도
한국에 왔으니 무조건 우리 식을 따르라
강요하지 말고,
가능하면 사기잔 대신
유리 와인잔을 사용하는 것이 좋습니다.

먼저 술의 빛깔을 살피고,
입술에 닿는 산뜻한 느낌도 중요하니까요.

한국의 사기잔이며 유리로 만든 소주잔 등은
운두가 넓거나 낮아 술을 따르거나 건배할 때
넘쳐흐르기 딱 좋은 모양에다 소리까지 투박합니다.

게다가 잔을 그득히 채우기 때문에
여간 조심하지 않으면
술을 쏟을 수밖에 없습니다.

그러니 자연히 상대를 바라다보기보다는
술잔을 주시하게 되는 것입니다.

포장이나 용기에 애국심이 잔뜩 묻은 전통주를
마음 편하게 마실 외국인들이 몇이나 되겠습니까?
그들이 비즈니스를 하러 왔지,
한국의 음주 문화를 배우러 온 것은 아니잖습니까?

마지막으로
튀고 싶어서 분위기 오버하며 내지르는
한국식 오두방정 유치 개그 건배사는
절대 금물입니다.

"치어스!"

그냥 점잖게 건강과 행복을 빌면서
건배하면 그것으로 족합니다.

와인은
사회적 커뮤니케이션 음료

에잇, 무슨 소리?

내 돈 내고 내 와인 마시는데,

왜 굳이 서양인들 눈치를 보아야 하느냐고요?

그냥 아무렇게든 자기 편한 대로 따라 마시면 되지,

그리고 술 마시는 게 목적이지,
서양 예법 지키는 게 뭐 그리 중요하느냐고요?

이런 막가파식 주당들의 선동에 넘어가면
비즈니스 망칩니다.
디테일한 것을 싫어하고,
뭐든 대충 넘겨 버리려는 국민성에 편승한
무책임한 주장이 아닐 수 없기 때문입니다.

아무튼 당신이 절대 갑(甲)이라면,

그래도 무방하겠습니다.
그렇지만 비즈니스 상대의 눈치를 안 봐도 되는
갑이 될 때까지는
글로벌 정격 매너를 따르는 것이 백번 이롭습니다.

설령 슈퍼 갑이라 할지라도
예의 품격 있는 매너로 환대한다면
외려 더욱 존경받을 수 있지 않을까요?

어쨌든 자신의 엉터리 강의 내용에 대한

손해배상 책임도 지지 않을,

또 남을 가르칠 만한

비즈니스 교섭 실전 경험이 전무한,

무작정 얻어먹기만 한 경험밖에 없는,

자기 돈 크게 들여

정품격 와인 디너 호스트를 해본 기억이 전무한

강사들의 사탕발림에 넘어가면

언제든 비즈니스 협상을 그르칠 수 있습니다.

다시 강조하지만,

한국에서와 달리 서구에서 와인은
권하고 취하는 도구가 아니며, 광범위하게 펼쳐지는
인간 관계의 미디어이자 촉매제입니다.
취하기 위해 마시는 비즈니스 술자리는
글로벌 사회에선 없습니다.

글로벌 정품격 건배란,
상대방이 아무리 지체 높은 이라 해도
황송해하며 움츠리거나 두 손으로 잔을 받들지 말고,
반드시 바른 자세에서 당당하게 눈 방긋 먼저,

이어서 잔으로 '챙!'입니다.
감사나 찬사 역시 온몸이 아닌
눈과 입으로 표현해야 합니다.

댁에서 식사할 때마다
와인잔에 물을 반 정도 채운 상태에서
안 보고 들었다 놓았다 해가며
평소에 연습을 해두면 좋을 듯합니다.
분명코 자신의 가치를 높이는 데
크게 기여할 찬스가 올 것입니다.

와인 한 잔이 사람을 제대로 알게 한다.

(프랑스 속담)

제7장

와인 매너

와인,
어떻게 즐길 것인가?

와인을 두고 대화를 즐기는 것이 아니라
와인 자체, 곧 마시고 취하는 게
목적인 사람들이 있습니다.
글로벌 비즈니스 매너의 시각에서 보자면
이들은 술주정뱅이에 지나지 않습니다.

천재감독 매튜 본의 〈킹스맨〉은,
〈아서 왕과 원탁의 기사들〉이라는
영국의 오래된 전설을 뼈대로 한
현대판 코믹 스파이 액션물로
배우들의 매너는 물론 영국식 고급 영어까지,
철저히 영국 문화를 바탕으로 만들어졌습니다.

특히나 이 영화에서는
명품 와인들이 소품으로 등장하는데,

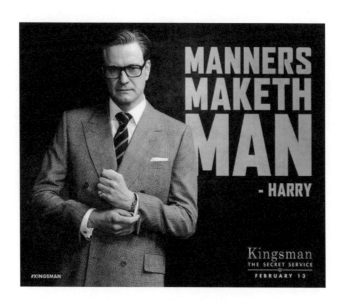

기실 그 와인들 속에 담겨진
풍자를 이해하지 못한다면
영화를 반밖에 못 본 거나 다름없다 하겠습니다.

먼저 '기네스' 흑맥주!
1755년 아일랜드의 아서 기네스가 만든 맥주로,
주인공 해리 하트와 에그시가 만나 마십니다.
여기서는 '아서'란 이름에 의미를 두었습니다.

명품 중의 명품 위스키 '달모어 62'!
아르헨티나 산장에 납치된
아놀드 교수를 구하러 간 랜슬롯이
죽기 전 마지막으로 맛본 술입니다.

2002년 출시되었을 당시의 가격은 3만 9천 달러.
그 희귀성 때문에 구하기 쉽지 않은 품목으로
2011년 9월 20일 싱가포르 창이공항 면세점에서

20만 달러에 판매된 것이 마지막입니다.

그런데 왜 하필 62년산일까요?

'달모어 62'는
딱 12병밖에 생산되지 않은 위스키입니다.
〈최후의 만찬〉의 열두 제자들과
열두 명의 〈원탁의 기사들〉을
떠올릴 수밖에 없는 술이지요.

아놀드 교수가 죽음의 공포 속에서도 반색을 하며,
또 죽고 죽이는 와중에도 한 방울도 흘리지 않고
악당 두목 발렌타인에게까지 전달될 만한
이유가 되겠습니다.

추도주 '나폴레옹 브랜디 1815'!
이 영화에서 가장 중요한 술입니다.
1815년과 나폴레옹을 이해하지 못하면,
이 추도주에 숨겨진
매튜 본 감독의 의도를 알 수가 없습니다.

나폴레옹은 1821년 5월 5일
세인트 헬레나 섬에서 세상을 떠났지만,
실제 몰락은
1815년 6월 18일의 워털루 전투 패배였습니다.
이 1815년을 기점으로 프랑스가 몰락하고,
대영제국의 시대가 도래하였지요.

'샤토 라피트 로칠드 1945'!
와인으로 치열하게 신경전을 주고받는
장면도 압권이지요.

발렌타인이 해리 하트에게 내놓은 술입니다.
미국 양키즘을 상징하는
맥도널드 햄버거와 함께 내놓음으로써
잘난 척하는 영국 신사를 비꼰 것이지요.

그렇다면 왜 1945년산일까요?
제2차 세계대전 종전 기념으로 나왔기 때문입니다.
바야흐로 영국의 시대가 가고,

미국의 시대가 열렸음을 풍자한 것입니다.

그러자 이를 눈치챈 해리 하트가 차라리 〈트윙키〉와

고급 디저트 와인 '샤토 디켐 1937'이

좋았겠다며 쏘아붙입니다.

미국의 국민과자 '트윙키'는

속은 하얗고 겉은 노란색으로 백인 행세하는

동양계 2세를 비꼬는 속어로도 쓰입니다.

돈자랑하며 거들먹거리는 흑인 발렌타인을
'트윙키'에 비유해 비하시킨 것입니다.

축배주 '멈' 샴페인!
마지막으로 주인공 에그시가
발렌타인과 그 악당들을 물리치고
스칸디나비아 공주를 구하러 갈 때 챙긴 술입니다.
'멈'은 F1 그랑프리 공식 샴페인으로
도전과 승리를 상징하는 술이니
영화의 마지막을 자축한 셈이죠.

영화 〈카사블랑카〉에서
"당신의 눈동자에 건배를!" 하고 읊조리던
험프리 보가트의 손에도
이 '멈' 샴페인잔이 들려 있었지요.

비밀번호 2625!
매튜 본 감독의 발칙한 장난기가 발동해
그 암시를 눈치챈
관객으로 하여금 포복절도하게 만드는 대목입니다.

바로 공주가 갇힌 감옥 문의 비밀번호인데,
역시 왜 하고많은 숫자 중에서 하필이면 2625일까요?

에그시가 그 직전에 세상을 구하고 난 다음
공주를 꺼내 주겠다며
보답으로 키스를 해달라고 하자,
공주가 키스뿐 아니라 '뒤'까지 약속했더랬지요.
그 '뒤(anal)'가 휴대전화의 2625에 있는 것입니다.

숫자에 둔감한 한국인들

우리나라에서는 '4'자를 싫어하는 것 외에
생활 속에서 숫자와 관련된 터부나 에피소드가
그다지 많지 않다 보니, 비즈니스상에서
숫자를 은유적 메시지 전달 도구로 이용하여
협상을 유리하게 끌어 간다는 개념이
거의 부재한 상태입니다.

예전, 어느 한국 대통령의
프랑스 방문 때의 일화입니다.
교민들이 환영 만찬을 열어 환대코자 하였지요.
하여 대통령의 출생 연도인 1932년산 와인을
백방으로 수소문해서
파티에 쓸 수량만큼을 간신히 구비했더랍니다.

그런데 만찬이 다 끝나가도록 예의 대통령은,
그렇듯 깊은 뜻이 담긴 와인을 마시면서도

눈앞에 놓인 '1932' 라벨이 붙은 와인에 대해
한마디도 언급하지 않아
교민들이 무척이나 실망했노라 합니다.

와인 문화에 무지한,
상대방의 노고와 정성 자체에 아예 무관심한,
말 그대로 글로벌 노(No!)격 대통령이었다지요.

대다수의 한국인들은 귀한 술이 있으면
일단 따서 마시려고 들지만,
서구의 중상류층 사람들은
대개 보관용으로 사들입니다.

그렇게 다양한 와인들을 보관하다 보면
언젠가 그 술이 꼭 필요할 때가 오지요.
그렇게 해서 대를 물려가며 보관하는데,
이는 그들이 매사를 그렇듯
멀리 내다본다는 뜻이기도 하답니다.

술꾼들을 위한 파티는 없다

"왜 파티 때면 꼭 샴페인으로 건배를 해댑니까?
우리 술도 많은데!"

우선 샴페인은 거품이 쏴~ 하니 일어
시각적·청각적으로 상쾌한 자극을 주어
기분을 북돋우는 역할을 합니다.
또 달콤하게 톡 쏘는 맛이 금세 식욕을 돋우지요.
게다가 샴페인은 어떤 음식과 어울려도
그 향기를 잃지 않는 유일한 술입니다.

시대를 불문하고 우아함을 추구하며,
더하여 로맨틱한 순간을 맞이할 때 찾는 술이
이 샴페인이기도 하지요.

프랑스왕 루이 15세의 연인이자
당시 파리 사교계의 아이콘이었던 마담 퐁파두르는

"마신 후에도 여인의 우아함을 지켜 주는
유일한 술"이라며
평생 샴페인만을 고집했다고 합니다.

"밤에는 샤넬 N° 5를 입고 잠들며, 아침에는
하이퍼 파이직 샴페인으로 하루를 시작해요!"
라고 말한 바 있는 마릴린 먼로는,
중요한 만남이 있을 때면 반드시
하이퍼 파이직 로제 샴페인으로 목욕을 했다는
일화가 회자되고 있기도 합니다.

그렇다고 한들 샴페인을 물 마시듯
벌컥벌컥 들이켤 순 없는 노릇이지요.
비즈니스 석상에서
식사중에 와인을 몇 병씩 마셔대며
주량을 자랑했다가는 다음날로 퇴출입니다.

리셉션이나 스탠딩 파티에서는 일반적으로
샴페인(알코올 도수 10%)만 마셔야 합니다.
경우에 따라서 샴페인이며 화이트 와인, 레드 와인,

칵테일과 오렌지 주스까지
한꺼번에 내놓는 파티도 있지만,
대개의 고급한 파티에서는 따로따로 나옵니다.

그 중 한 잔을 들고서
한 시간 이상을 버텨야 합니다.
맥시멈으로 두 잔입니다.
공짜라고 해서 석 잔 이상 마셨다가는
상업적 신용 끝입니다!

가령 선진국의 고급 카지노에 가게 되면
샴페인이나 와인은 무료입니다.
해서 공짜라면 양잿물도 마다하지 않는다는
한국인들이 마구 마셔대다가 쫓겨나는 망신을
자초하는 경우도 종종 있습니다.

어디를 가든 카지노에서는 한 잔 내지 두 잔입니다.
셋째 잔을 들면,
천정의 감시 카메라가 그를 추적합니다.
준범죄자 내지는 요주의 인물로

취급하기 때문이지요.

넉 잔째 오더하면,
경비원이 다가와 퇴장을 요구합니다.
그렇게 되면 그 사람은
영원히 그 카지노 출입 금지입니다.

글로벌 무대로 진출하려면
평소 이러한 훈련이 되어 있어야 합니다.
한국인들은 이게 잘 안 되는 바람에
가는 곳마다에서 사고를 치고 마는 게지요.
그리하여 비행기에서 공짜술로 주정을 떨거나,
윤아무개 사건 같은 추태가 끊이지 않는 것입니다.

와인은 대화 촉진제

오찬이나 디너에서의 와인은
소화제이자 대화 촉진제입니다.

취하기 위해 마시는 것이 아니라,
적당한 흥분과 절제를 즐기기 위해 마시는 것이지요.

한국인들처럼 '원샷!' 해 버릇하면
성기능장애자로 오해받을 소지가 큽니다.

술이 세다는 것이
곧 정력이 세다는 말로 받아들여지고,
두주불사가 마치 남성적 리더십의 과시인 양하던
노가다 마초시대는 진즉에 끝났습니다.

화끈하게 술을 잘 마신다고 해서
비즈니스도 화끈하게 잘할 것이라고 믿는
글로벌 등신은 없습니다.

고작 술에 망가질 정도로 절제력이 없는 사람이라면
섹스며 돈, 권력, 뇌물, 청탁에도
쉬이 무너지고 말 것은 불문가지이지요.
그저 상대의 약점으로 알고 철저히 이용할 뿐입니다.

몇 잔이 적당한가?

영국인들은 저녁 시간을
가정에서 가족들과 함께 보내려는 성향이 강해
비즈니스와 관련한 대화도
디너보다는 오찬 시에 많이 합니다. 따라서
오찬 때에 와인을 좀 더 많이 마시는 경향이 있지요.

반면에 프랑스인들은 상대적으로
밖에서 디너를 많이 하는 편이어서
오찬 시에는 비교적 간단하게 마십니다.

그러면 서너 시간이 소요되는 디너에서는
와인을 어느 정도 마시는 것이 적당할까요?

첫잔인 샴페인에다 화이트 와인 한 잔,
레드 와인 두 잔이 적당합니다.
합하면 대략 한 병가량이 되지요.

그리고 집으로 돌아갈 즈음하여
디제스티프로 브랜디(40%)를 약간 마십니다.
손바닥의 온기로 충분히 덥혀
코로는 진한 브랜디 향기를 즐기면서
혀로 조금씩 찍어
입 안 전체를 바르듯이 맛보며 마시지요.

소화제 겸 각성제로
정신이 바짝 들게 하는 효과가 있어서입니다.
그렇게 해서 집까지 무사히 운전하여 가는 것입니다.

파리에는 음주 운전 일제 단속 같은 것이 없습니다.
음주 운전은 그들의 라이프 스타일이기도 하니까요.
대신 개인의 자유와 방종을 혼동하는 일이 없고,
시민으로서의 책무를 잊지 않아
스스로 통제 가능하기 때문입니다.
그러지 못하면 중상류층 진입이 아예 불가능합니다.

파리에서는 가난한 이들만이
술에 취하여 지하철을 타고 갑니다.
일부 방종한 젊은이들과 이민자들이
음주 운전으로 사고를 내는 편이지요.

고작 3분 대화면
꿰다 놓은 보릿자루가 되어 버리는 한국인들은
술에 빨리 취하고 늦게까지 깨지 못합니다.
대화에 끼이지 못하니 자꾸만 들이켜게 되는 게지요.
하지만 그들은 3~5시간 내내 쉬지 않고
대화를 나누기 때문에
에너지 소모량이 엄청나게 많아
그동안에 술이 다 깨어 버립니다.

와인보다 중요한 건
와인 매너

와인을 마시는 파티에서는
남녀 불문하고 짙은 색 정장이 기본입니다.
혹여 와인을 쏟더라도
옷을 버리지 않기 위해서입니다.

레드 와인의 색소는
옷에 묻으면 얼룩이 져서 잘 지워지지가 않습니다.
자칫하면 옷도 버리고,
웃음거리가 되고 말 수도 있습니다.

한국에서는 식사자리든 술자리든
언제나 남녀 유별이지만, 서양에서는
남녀 교차석이 정격입니다.
그리하여 왼쪽의 남성이 오른쪽의 여성에게
음료를 따르는 등의 서비스를 하게 됩니다.
여성은 이를 당연히 여기고, 또 당당하게 누리지요.

하지만 한국에서 그렇게 앉았다가는
여성을 마치 접객녀처럼
남성들의 시중이나 들게 하는 것으로
오해받을 소지가 다분합니다.
해서 여성이 신사로부터 마땅히 받아야 할
서비스를 포기하고 말지요.

문제는 이런 식으로 살아온 한국의 남성들이

해외에서의 식사 테이블에서

옆자리 여성을 제대로 케어하지 못하는 바람에

신사로서의 이미지를 구겨

비즈니스를 망치기 일쑤라는 것입니다.

와인 매너는 글로벌 신사에게서

제대로 배워야 합니다.

값비싼 와인 마신다고

품격이 올라가는 것 아닙니다.

수년 전부터 한국에도 와인 바람이 불어
소믈리에가 마치 사회 명사라도 되는 양
언론 잡지에 자주 오르내리기도 하고,
또 어떤 와인 클럽에
정식회원으로 등록되어 있기도 하지요.
하지만 이는 난센스가 아닐 수 없습니다.

소믈리에가 사교 클럽의 회원이 되는 나라는
한국밖에 없을 것입니다.
소믈리에는 그저 와인 담당 웨이터일 뿐입니다.
와인 후진국 술꾼들의 모임에서나
있을 수 있는 일이지요.

와인에 대해 아는 것이 많다고 해서
신사가 되는 것 또한 아닙니다.
〈킹스맨〉을 좇아 더블 수트를 갖춰 입고,
옥스퍼드 구두에 브리그사 우산을 든다고 해서
신사가 되는 게 아닙니다.

제아무리 저명한 소믈리에라 하더라도,
또 〈킹스맨〉에 등장하는 와인들을
장황히 소개할 수 있을는지는 모르겠으나,
왜 그 장면에 그 술인가를 설명하기란
쉽지 않을 것입니다.

비즈니스와 연결시키지 못하는 와인 지식은
술꾼에게나 필요할 뿐이지요.

와인의 세계를 세 단계로 나눈다면,
소믈리에는 맨 하층에 속합니다.
한국에서는 이들이 와인 매너를 가르치는데,
이는 방자가 이도령을 가르치는 꼴입니다.

웨이터나 소믈리에 등
서비스업 종사자들에게서 배운 와인 매너는
금방 티가 나기 때문에
아무리 돈이 많고 직위가 높다 하더라도
귀한 대접을 받기 어렵습니다.

다음으로 중층에는
와인 생산자들과 유통업자(네고시앙)들이 있습니다.
그리고 맨 위 상층에 오피니언 리더들과
명사들의 사교 클럽, 와인 클럽이 있습니다.
이들 클럽의 정규 멤버들은
고급한 수동태 영어와 프랑스어를 구사하는데,
바른 식사 자세와 민주적 대화는 기본입니다.

신(身), 언(言), 서(書), 판(判)에다

식(食)까지 몸에 밴 사람이어야 가능합니다.
여기서는 돈보다 대의명분,
사람을 더 중시하기 때문에
멤버가 되면 살면서 겪게 되는 웬만한 문제나
어지간한 재앙은 다 넘어갈 수 있습니다.
와인 매너는 이런 곳에서 배워야 합니다.

아무튼 그들과 함께하려면
코스모폴리탄적 사고를 지니고,
인류 공동체의 복지에 공동 관심을 가져야 하며,
전인적 존엄성을 갖춘 인격체로
사람들과의 연대를 다져 나아가야 합니다.

큰물에서 놀려면 아무쪼록
고품격 글로벌 소통 매너부터 갖추시기를!

행운을!

지불할 수 있는 한도 내에서
값비싼 의복을 차려입되 유별난 디자인은 피하고,
고급스럽게 보이되 번지르르하게 꾸미지 마라.
의복은 보통 그 사람의 품격을 말해 주기 때문이다.

(셰익스피어)

제8장

정장

옷은 그 사람의 인격

정장을 차려입고, 에티켓을 지키며,
고품격 매너를 갖추는 것을
지레 자신에 대한 구속이나 허세로 여기는 것은
오해입니다.

이는 상대에 대한 배려와 존중,
그리고 자기 자신에 대한 인간 존엄의 실현입니다.

아무렇게나 걸쳐입고, 흐물흐물 행동하며,
예술 작품을 창작하는 사람이니까,
글 쓰는 사람이니까,
운동하는 사람이니까, 투쟁하는 사람이니까,
노동자이니까, 무직자이니까… 하며
핑계를 대는 저변엔
나태함과 자유인인 양하는
촌티가 깔려 있다 하겠습니다.

"예수께서 사랑하시는 그 제자가
베드로에게 이르되 주님이시라 하니,
시몬 베드로가 벗고 있다가
주님이라 하는 말을 듣고
겉옷을 두른 후에 바다로 뛰어내리더라."

(〈요한복음〉, 21장 7절)

베드로가 바다로 나가 물고기를 잡고 있을 때,
부활하신 예수께서 바닷가에 나타나신 것입니다.
그러자 베드로가 예수에게로 나아가기 위해
벗어두었던 겉옷을 두르고
바다로 뛰어내렸다는 이야기입니다.

이 대목에서 어떤 이들은 의아해하다가도
깊이 생각지 않고 그냥 넘어가 버립니다.
아니, 바다로 뛰어내리려면 입었던 옷도 벗을 일인데,
왜 새삼스럽게 겉옷을 챙겨입었을까요?

정장은 인격의 표현

1907년 4월 22일, 서울을 떠난 이준 열사가
헤이그로 가는 중간 경유지 겸 막후교섭지로
제정러시아의 수도 페테르부르크에 도착하여
잠시 머무른 바 있습니다.

"처음에는 아프리카 샤먼과 같은,
검은 갓에 흰 두루마기 차림의
조선 선비의 느닷없는 출현에
상당히 당황스러웠는데,
점차 그의 원숙하고 품위 있는
사회적인 인격체 풍모에 매료되어
많은 사람들이 그의 주장을 경청하게 되었고,
결국 상당수 인사들이
조선의 처지를 이해 공감하게 되어
필요한 지지 활동을 베풀기로 의견이 모아졌다."

당시의 현지 신문 상류층 파티 동정란에
실린 기사입니다.
물론 이준 열사가 헤이그까지
그 차림으로 가지는 않았겠지요.
주목을 끌기 위한 계획된 퍼포먼스였을 것입니다.

축구 감독 거스 히딩크는
영국의 호화군단인 첼시팀을 맡았을 때,
전 선수들에게 정통 아르마니 정장을
똑바로 갖추어 입을 것을 강요하고,
넥타이를 느슨하게 매었을 경우에는
100파운드의 벌금까지 물렸었습니다.

정장을 하여야 정신이 무장되어
그 소임이며 각오,
역량 발휘 등의 리더십이 생긴다는
소신이 있었기 때문입니다.

정장을 거부하는 것은
자기 존엄을 포기하는 것

요즈음 우리 나라 크리스천들의 주일 예배 옷차림도
예외는 아닙니다.
심지어 반바지, 반팔, 등산복, 추리닝 등
보기에도 민망한 옷차림이 많습니다.

그런가 하면 짙은 화장에 명품으로 치장을 해서
예배하러 가는 것인지, 사교장에 가는 것인지
구분이 안 되는 이들도 적지않습니다.

2014년 2월에 취임한 이탈리아 총리 마테오 렌치는
'청바지 총리'로 유명합니다.
이에 보다못한 이탈리아의 패션 거장
조르조 아르마니가
"넥타이를 매라!"며,
총리에 어울리는 정장을 갖추라는
충고를 던진 바 있습니다.

언젠가 버락 오바마 미국 대통령은
이렇게 말하였습니다.
"여러분은 내가 짙은 회색이나 곤색 정장만 입는
모습을 보게 될 것입니다.
나는 무엇을 먹을지,
무엇을 입을지에 관한 결정은 하고 싶지 않습니다.
소소한 일에 신경을 쓰면서
이 시대를 헤쳐 나갈 수는 없으니까요!"

정장은 왜 검은색인가?

대한민국의 정치인들은
시도때도없이 우르르 그 식솔들을 거느리고
현충원을 찾는데,
그럴 때마다 따라붙는 들러리들 가운데
노타이에다 반팔, 유색 양복, 점퍼를 걸친 이들이
꼭 빠지지 않습니다.
준비가 안 되었으면
추모 대열에서 빠지는 게 도리이거늘
개념 없이 끼어들어 사진을 버려 놓기 일쑤입니다.

많은 한국의 여성 관료며 정치인들도
공인으로서의 정장 개념이 전무한
어글리 패션입니다.
대개가 국적 불명, 의미 불명,
소통 불가, 연예인 흉내내기,
제멋에 겨운 튀는 패션들입니다.

정장은 검정색이 기본입니다.
해서 공적인 행사에 참여하거나,
공공의 공간에서 일하는 이들은
하나같이 검은색 정장을 입습니다.

품격 있는 파티나 시상식에 참석하는 여성들 또한
검정색 드레스를 입습니다.
고전적인 해석을 덧붙이자면,

검은색은 결코 호의적인 색이 아닙니다.

오히려 불길, 불행한 색이지요.

죽음의 색이기도 해서,

심지어 한국과 같은 일부 민족은

전통적으로 검은색 옷을 터부시하기도 합니다.

검은색은 가장 천하고, 낮은 색입니다.

하여 가장 낮은 계층이 입었던 옷 빛깔이었습니다.

그럼에도 불구하고 현대의 신사복,
정장은 왜 검은색일까요?
그야 신사복이 서양에서 시작되었으니,
당연히 〈성경〉에서 그 실마리를 찾는 게
가장 빠르겠습니다.

'상대를 높이기 위해 자신을 한없이 낮추는'
의미로 검은색 옷을 입었습니다.
하여 그 스스로 낮은 데로 임하는 수도사들이
검은색 옷을 입었지요.
이후 계몽주의, 민주주의 시대를 맞아
공공(公共)의 개념이 생겨나면서
공직자·집사·변호사 등등의 부류들부터
검은색 정장을 하게 되면서
이제는 오히려 권위를 나타내는 색이 되었습니다.

레스토랑의 웨이터나 공직자는 물론 국가수반까지
똑같이 검은색 정장을 하는 것은,
실용성도 고려했겠지만
그보다는 상대에 대한 배려가 우선일 것입니다.

검소함보다 제대로 입는 것이
공인의 본분

예를 들자면, 박근혜 대통령은
취임 이후 지금까지 한복 외에는 치마 정장을 하고서
공식 석상에 나선 적이 거의 없습니다.
연예인 못지않은
자기만의 독특한 차림새를 고수하고 있지요.

모두 유사한 캐주얼풍 유니폼 디자인에
빛깔만 다른 상의를 여러 벌 마련하여
월화수목금토일, 빨주노초파남보를
연출하고 있습니다만
도무지 정장이라 하기엔 무리가 따릅니다.

심지어 외국 정상과의 회담장에 입고 나오는 옷들이
호텔 종업원이나 벨보이 유니폼들과
너무도 흡사하여 아슬아슬할 때가 많습니다.

국가수반은 막말로 그 나라의 얼굴마담입니다.
일정 중 가장 많은 시간을 할애하는 부분도
내외빈 접견일 것입니다.

설령 집무실에서야 평상복을 입는다손 치더라도
외빈을 맞이할 적엔 정장을 갖추어 입어야 합니다.
수백만 리를 날아온 귀빈에게 이왕지사
품격 있는 기념 사진을 자랑스러이 들고 가게 하는 것이
국익에도 도움이 되지 않겠습니까?

공인으로서 옷을 고를 적에는

상대를 염두에 두어야 합니다.
원색적인 빛깔로 지나치게 튀면 상대방은
'아, 이 사람은 독선이 강하고
타인에 대한 배려심이 없구나!'라는
생각을 할 수밖에 없습니다.
그러니 진정한 소통이 이루어질 리가 없지요.

아무튼 박근혜 대통령은
평범한 비즈니스 포멀 정장 차림이 대변해 주는
헌법상 직분의 무게와 권위를
제대로 살리지 못하고 있습니다.
공사(公私)와 피아(彼我)를 구분하지 못하는,
개인적 취향만 부추기는 어처구니없는 패션입니다.

**리더의 진정한 파워는
평범함에서 나옵니다.**

한국인들은 여성의 경우
남성에 비해 복장이 자유로울 수 있다는
관대한 생각이 팽배합니다.

공인의 경우에도 정장에 대한 인식이 희박합니다.

특히 디너나 파티에서는 호스트든 게스트든
여성은 무조건 치마 정장이어야 합니다.
여성이 바지를 입는다는 것은,
오피니언 리더로서 중성성으로 인정합니다.
거기에다 목걸이와 귀걸이를 모두 하지 않으면
인격적으로 결함이 있는 사람으로
오인받을 수 있습니다.

현재 세계의 여성 지도자들 가운데 치마 대신

바지를 더 선호하는 이가 꽤 있는데,
이는 사실 몸매에 자신이 없기 때문입니다.
치마로는 굵은 허리를 감출 수가 없기 때문이지요.

또 튀는 옷은
다른 어떤 사람과도 앙상블이 불가능합니다.
하여 상대를 불편하게 만들지요.
그렇기에 평범한 정장이나 드레스를
입고 나가는 것입니다.
그래야 누구와도
거리낌 없이 소통할 수가 있기 때문이지요.

현대의 리더란 반드시 영웅적일 필요가 없습니다.
누구와도 뚜렷하게 구별되어야 하는 사람이 아니라
누구과도 잘 어울려야 하는 사람입니다.

상대방을 어떻게 하면 더 품격 있게
환대할 수 있을지를 고민하고,
오히려 손님이 더 돋보이도록 배려하는 게
기본적인 상식입니다.

그러면서 상대에 비해
지나치게 격이 떨어지지 않으면서도
앙상블을 이뤄 서로 소통하고 교감할 수 있도록
정장을 하는 게 주인장다운 매너입니다.

자고로 공인, 특히 최고지도자에게는
'제멋'이란 있을 수 없습니다.

오피니언에게
연예인 흉내내기는 자살골

유럽의 커리어 우먼들은
평소 수수한 검정 및 짙은 색의 포멀 수트를 입는
습관을 들여 포스를 길러 나갑니다.

오피니언 여성이라면 유색 정장을 할 경우에도
바지는 검정색이 무난합니다.
이때에는 신사의 기준에 맞춰
구두와 양말도 바지색에 매칭시켜야 합니다.

많은 한국 여성들이
바지 차림임에도 살색 스타킹으로
여성성을 강조하려 드는데, 이는 난센스입니다.

그리고 바지 차림에 브로치를 다는 건
남성이 브로치를 다는 격으로

그다지 어울리지 않습니다.
브로치는 치마 정장에 달아야 제격입니다.

가장 중요한 건
어떤 옷을 입느냐가 아니라,
그 옷을 소화해내느냐 못해내느냐입니다.

몸자세가 바르지 않으면,
제아무리 값비싼 명품을 입는다 할지라도
그 격을 제대로 살려낼 수가 없습니다.

한국의 톱 탤런트는 물론 심지어 슈퍼모델조차도
해외 진출이 불가능한 원인 가운데 하나가
바로 이 바르지 못한 몸자세인 것입니다.
엉거주춤 굽은 자세로 당당함을 잃었기 때문이지요.

품격은 바른 자세에서 나옵니다.

서구인들이 가장 호감 가는 동양 여성으로
미얀마의 아웅산 수지와
중국의 펑리안을 꼽는 이유가
바로 이 바른 자세 때문인 것입니다.

추리닝은
인격이 아니라 동물격

한국의 대다수 스포츠 선수들은
정장에 대한 개념이 거의 없습니다.

대개의 한국 선수들은 공식적인 자리에서도
정장이 아닌 셔츠나 추리닝 바람일 때가 허다합니다.
자신이 성인이 아닌 미성년 취급을 받고 있음도
눈치채지 못하는 까닭입니다.

스포츠 선수이니까
추리닝 차림이 당연한 것 아니냐고요?
기실 운동 그 자체는 동물격입니다.
인간이 문명화하면서
차츰 망각 내지는 퇴화하고 있는
동물적 야성을 되살리는 행위에 다름 아닙니다.
해서 여기에 오락적 요소를 가미시켜

상품화한 것이 오늘날의 스포츠인 것입니다.

난 운동 선수이니까
매너니 품격이니 하는 거추장스러운 것은
배운 적도 없고, 또 배울 필요도 없다,
해서 그냥 막입고 다녀도 된다는 발상은
말 그대로 스스로 인격임을 포기하는 소치입니다.

누구든 선수이기 이전에 한 인격체입니다.
그러니 운동장을 벗어나면
즉각 인격으로 되돌아와야 합니다.
그걸 매너, 정장으로 표현하는 것입니다.

올림픽 금메달을 목에 걸었다고 해서
인격이 금격(金格)이 되는 것은 아닙니다.
아무 데나 추리닝이며
러닝셔츠 바람으로 돌아다니는 게
운동 선수의 특권이 아닙니다.
심하게 말하자면,
우리 밖을 어슬렁거리는 짐승격일 뿐입니다.

자기 존중은 자기 자신이 하는 것이지
누가 챙겨 주는 것이 아닙니다.

그 스스로가 자기 자신을 존중하지 않으면서
타인으로부터 존중을 받으려는 건 난센스이지요.

그런 사람이 타인을 제대로 존중할 줄 알까요?
배려가 뭔지 알기는 할까요?

스타가 되기 이전에
먼저 신사가 되어야 합니다.

품격 없이는
절대 명품 못 만든다

한국에서 개최되는 국제영화제나 패션쇼,
심지어 국가의 공식행사 진행요원들과
취재하는 기자들의 복장에도
문제가 많습니다.

형형색색의 너절한 옷차림!
정장한 사진기자를 찾아보기가 어렵습니다.
평생 카메라를 끼고 살면서도
자신의 카메라가 왜 검정색인지
단 한번도 생각해 본 적이 없었을 것입니다.

칸영화제를 취재하는 사진기자들은
반드시 나비넥타이에 검정 정장이어야 합니다.
단지 역사가 오래되었다거나 참가국이 많다고 해서
최고의 영화제가 되는 게 아닙니다.

행사의 품격을 높이려면,
기자는 물론 그 진행요원들까지도
일제히 정장을 갖춰 입도록 하는 것이 기본입니다.

단순함의 정교함을 모르고서는
명품 절대 못 만듭니다.
상품은 선호의 대상이지 존경의 대상이 아닙니다.
다시 말하자면, 인기는 인격이 아니란 말입니다.

반바지는 미성숙 인격체,
곧 아동임의 표식

한국인들은 이 반바지에 대한 개념이
명확치 않습니다.
시커먼 다리털을 그대로 드러낸 남성이
지하철의 여승객 사이에 앉아 있는 모습은
영 민망스럽기 짝이 없습니다.

2014년에 작고한 남아공의 넬슨 만델라는,
그가 감옥에 있을 동안 가장 모멸스러웠던 것이
반바지를 입도록 강요당한 일이었노라고
회고한 바 있습니다.

서구 사회에서 반바지는 미성년,
즉 성인의 보호가 필요한 어린이나 학생들임을
명시적으로 나타내기 위한 것이라는
분명한 인식을 가지고 있기 때문입니다.

물론 피서지나 자신의 집 안에서
반바지를 입는 것에 대해서는
누가 뭐라고 하지 않습니다.
그러나 공공 장소에서는 절대 금물입니다.

굳이 반바지를 입겠다면 반드시 목이 긴 양말로
종아리의 맨살과 털을 가리는 것이 예의입니다.
어린이라 해도 그렇게 하는 것이 정격입니다.

따라서 아무리 날씨가 덥더라도

비즈니스 무대에선 반팔 티셔츠나 반팔 와이셔츠,
반바지 차림은 금물입니다.

또 미성년이라 해도 공식적인 자리에 나아갈 때는
반드시 성인에 준하는 정장을 갖춰 입혀야 합니다.
공식적인 자리, 즉 공공 영역이란
성숙된 사회적 인격체들만의 자리이기 때문이지요.

열대 지방에서도 공식적인 행사에는
항상 정장 차림이어야 합니다.

기본기 부재의 한국 방송인들

방송이나 신문 등을 보면,
공적 이슈를 다루는 토론이며 회의 석상에
정장이 아닌 옷차림을
하고 나오는 인사들이 제법 많습니다.
특히 진보를 주창하는 인사들일수록
옷매가 더 심한 편입니다.

도리 없이 옷차림새가 먼저 눈에 들어오고 보니,
말 다르고 행동이 다를 것이라는 선입견마저 들어
그들의 주장에 신뢰를 가지기가 퍽 어렵습니다.

또 텔레비전에서는
갖가지 테마의 세계 여행기들이 넘쳐나고 있습니다.
그런데 그 주인공들의 매너를 보면
매번 역겨울 때가 많습니다.

우선 복장이 막말로 개판입니다.
여행 내내 막옷 캐주얼로 일관하기 예사이지요.
산이나 시골 들판을 걸을 때,
시내를 관광할 때, 남의 가정에 초대받아 갔을 때,
술집이나 공연장에 들어갈 때,
유명인의 무덤을 참배할 때 등등,
그 장소와 분위기에 걸맞는 옷으로
갈아입을 줄을 모릅니다.

주인공이 그 모양이니
함께 간 촬영진들은 오죽할까요?
더더욱 황당한 건 누가 방랑객 아니랄까봐
처음부터 끝까지 배낭을 메고 다니는 것입니다.
남의 집 안이며 식당, 주방, 가게, 박물관 등등
실내에서도 불룩한 배낭을 멘 채로
이리저리 짐승처럼 휘젓고 다니는데,
보는 이로 하여금 참으로 아찔케 합니다.

붐비는 시장이나 좁은 가게에서 배낭으로
물건을 떨어뜨려 깨거나,

박물관 같은 데서 유물이라도 손상시킨다면?

실제로 유럽 대부분의 박물관들은 입장하기 전에
배낭과 우산은 물론 카메라까지 맡기도록
하는 곳이 많습니다.

관람객에 대한 서비스가 아니라,
혹여 본인이나 주변인이 그런 것들에 걸려서
유물에 손상을 입히는 걸 예방하기 위해서입니다.

시청자들에게 이국의 문화와 풍경을
소개하는 것도 좋지만
허구한 날 싸구려 음식점,
시골 농가에서 밥 얻어먹기만 하지 말고,
때로는 고급한 레스토랑에서
현지 유명 인사들과 식사도 즐기고,
중상류층 가정에 초대받는 광경도
보여주었으면 싶습니다.

그러기 위해선 주인공은 물론 촬영진 모두가

기본적인 글로벌 매너를 갖추고 나가야겠지요.
남을 함부로 대하는 사람을 무례하다고 욕하지만,
자기 자신을 함부로 하는 사람을
우리는 천박하다고 일컫습니다.

정장은 자기 존중이자
상대에 대한 배려입니다.

우리는 사람들에게 신사가 되도록 가르친다.

그러한 가르침이 없다면

신사가 될 수 있는 사람은 별로 없다.

당신 아들이 어렸을 때

손에 닿는 모든 것을 갖도록 내버려두어 보라.

열다섯 살이 되면 대로에서 도둑질을 할 것이고,

거짓말을 했다고 그를 칭찬해 보라.

그는 거짓 증인이 될 것이며,

그의 정욕의 비위를 맞춰 보라.

그는 틀림없이 방탕해질 것이다.

우리는 인간들에게 덕성과 종교, 모든 것을 가르친다.

(볼테르)

제9장

넥타이

글로벌 신사들은
'넥타이로 소통한다'

대화만이 소통이 아닙니다.
입으로 하는 말 또한
다양한 소통 방법들 가운데 하나일 뿐입니다.

하여 양방향 소통 매너를 알지 못하면,
가정이나 공동체에서는 물론이려니와
글로벌 비즈니스 무대에서 설 자리가 좁아지거나
꿔다 놓은 보릿자루 신세 되기 십상입니다.

'세계화' '세계 경영' '세계 지배'는
말로만 해서 되는 게 아닙니다.

한 일간지에,
글로벌 비즈니스 현장 경험이라곤 전무한
어느 이미지 메이킹 강사가

모 자동차회사 판매사원들을 대상으로
영업에 도움이 되는 코디네이션을 제안하는
기사가 실렸던 적이 있습니다.

내용인즉슨,
얼굴형이 이러이러한 사람은
어떠한 색이 잘 어울리며,
어느 계절엔 어떠한 옷, 어떠한 넥타이가
주목을 끌 수 있다는 식이었습니다.

전문가의 코디라는 것이
기껏 남의 영업 그르치는 법을 일러주고 있었으니,
그런 난센스도 다시없을 듯합니다.

비즈니스 소통 매너의 기본에 속하는
넥타이 코디 개념조차 없는
한국인들의 무원칙과 중구난방은
비단 안방에서만 그치지 않습니다.

심지어 친선 외교,

프로젝트 수주 지원을 위한 해외 순방에서
상대국 국민들이 터부시하는 색의
넥타이를 매고 나가는
어이없는 광경도 드물지 않습니다.

비즈니스 소통 개념 없기는
일반인들도 매한가지입니다.
가령 한·중 간의 각종 세미나나 교류 모임에서
생각 없는 한국 대표들이
노란색 넥타이를 매고 나오는 경우입니다.

노란색은 황제의 색으로
중국인들이 전통적으로 금기시하는 색입니다.
예전 같았으면 황족이 아닌 이가
노란색 옷을 해입었다간 참수형을 면치 못하였지요.
하여 신세대 졸부들을 제외한
중국의 지도자들이나 지식인들이
노란색 넥타이를 매는 경우란 거의 없습니다.

또 한국의 지도자들 중 간혹 고집스럽게
한 가지 타입의 넥타이를 고수하는 이들이 있습니다.
심지어 국무총리나 국회의장과 같은
고위직 인사들조차
공식 석상에 거의 대부분 같거나
비슷한 넥타이를 매고 나오는 예가 적지않습니다.

가난해서 넥타이가 하나밖에 없는 건 아닐 테고,
아마도 자신의 검소함을 자랑하거나,
제가 유독 좋아하는 타입을 고집함으로써
올곧은 지조를 지닌 선비의 이미지를
내세우고자 함일 수도 있을 터이겠지요.

아니면 그 주변인들이
그게 잘 어울린다고 추천했을는지도 모르지요.

당연히 그 어떤 메시지도 담기지 않은
사적 취향의 어중간한 색상과 문양입니다.
하지만 이는 공인으로서
지극히 무책임하고, 나태하고, 안이한 행위입니다.

단벌 넥타이처럼 사고의 기본 틀이
대개는 '사적 개념'으로 '모노 타입'인 것입니다.
'고집'을 '일관성'인 양 오해하면
그런 일이 생깁니다.

공(公)이란, 개인의 신념이며 지조를
증명하고 실천하는 장이 아닙니다.
공인이나 비즈니스맨에겐
'사적 취향'이란 있을 수 없습니다.

공인에게 넥타이란?

2015년 3월에 피습을 당하였던
마크 리퍼트 주한 미국 대사가
퇴원 기자회견에서
초록색 넥타이를 맨 것은
그 자신을 성 패트릭에 비유한 예입니다.

외교관답게 그는 기자회견을 통해
초록색 넥타이를 맨 자신의 모습이
전 세계에 알려질 것임을 염두에 둔 것이지요.

곧 '성 패트릭 데이'이니
백악관은 말할 것도 없고,
미국이며 영연방 국가 등의 세계인들은
그날을 기념하기 위해

초록색 치장을 준비하느라 여념이 없을 터이니,
외신으로 스쳐 지나가는 예의 사진 한 장만 보고서도
자신의 메시지를 읽어낼 것임을 계산한 것입니다.

그러니까 간단하게 넥타이 한 장으로
글로벌 선진문명권의 세계인들과
소통해낸 것이지요.
이것이 바로 '글로벌 소통 매너'입니다.

백 마디 말보다
넥타이 하나!

자동차색과 넥타이색을 매칭하여
넥타이가 마치 자동차의 액세서리 같아 보입니다.
혼연일체의 장인 정신으로 완벽하게 만들어진 명품임을
암묵적으로 표현해내고 있는 것입니다.

신사라면 이 자동차를 탈 수밖에 없는 당연성을
자연스레 표현해내었다 하겠습니다.
화룡점정이란 이런 데 쓰는 말일 듯합니다.

"God is in the details!"
애플의 스티브 잡스에게 큰 영향을 끼친
독일 출신의 미국인 건축가
루트비히 미스 반 데어 로에가 한 말입니다.

사소한 차이가 승부를 가릅니다.
그런 미세한 것들이 상대방의 호감을 끌어내고,
일의 성사 여부에 영향을 미칠 수 있습니다.

디테일하지 못한 사람들은
그런 걸 운(運)이라고 말합니다.
아무튼 살아남기 위해서라면 하루 열두 번인들
넥타이를 갈음하지 못할 까닭이 없겠습니다.

재삼 강조하지만,
비즈니스 무대에서 넥타이 등 액세서리의 코디는
결코 개인적 소관이 아닙니다.
철저하게 자기가 속한 회사나 기관의
매뉴얼을 따라야 합니다.

임원급 인사라면
넥타이는 물론 행커치프나 배지를 통해,
여성이라면 머플러나 브로치를 통해,
비즈니스 무대에서 오해 없이 받아들일 수 있는
명확한 아이덴티티를 표현할 수 있어야 합니다.

넥타이 컬러 코디의
글로벌 기본 황금률

글로벌 비즈니스 무대에서
자기의 주장을 강조하고 돋보여야 할 때에는
붉은색,
그리고 자기를 낮추고 상대를 높일 때에는

파란색,

보다 경쾌하게 나가고 싶을 땐

밝은 하늘색을 택하는 것이 정격입니다.

이렇게 매고 나가면, 모두들 그 은유적 메시지를

금방 읽어내기 때문에 가장 무난합니다.

외교 무대에서

자기의 주장을 확실하게 드러내고 싶으면,
자국 국기의 색과 문양에 가깝게 디자인된
넥타이를 맵니다.

경우에 따라 큰 프로젝트를 수주하러 가거나
측면 지원차 해당 국가를 방문하는
대통령이나 총리·국회의장이라면,
반대로 그 나라 국기색을 딴 넥타이로
상대의 호감을 끌어내야 합니다.

따라서 앞서 언급한 자동차는 물론
모든 판매사원의 넥타이는
무조건 고객의 회사 로고색에 맞추는 것이
기본입니다.

넥타이 컬러에 대한 비즈니스 소통 개념 없이
그날그날 기분나는 대로 아무 색이나 골라매거나,
연예인 흉내내기 넥타이로
'글로벌 공적 무대'에 나섰다가는
바보 취급당하기 십상입니다.

그리고 제멋에 겨운
화려하고 현란한 곡선무늬 디자인은
금물입니다.

"Less is more!"
공인이라면, 비즈니스맨이라면,
선과 면이 단순명료한 격자무늬,
혹은 비스듬한 줄무늬여야 합니다.

제2차 세계대전 때
연합군 승리를 견인했던 미국의 조지 패튼 장군은,
예하부대의 전 장교들에게
어떤 끈으로든 넥타이를 매도록 하였습니다.

글로벌 비즈니스 본선 무대는
철저하게 계산되고 다듬어진 고품격 매너로 승부하는
전장(戰場)입니다.

글로벌 비즈니스 현장 경험 전무한
연예인 흉내내기의 낭만적이고 사적인 한국적 감성
취향으로 포장된 에티켓을 비즈니스 매너인 양
착각하고 올랐다가는 바로 죽음입니다.

불편함을 즐기는 사람이 미래의 주인공이 된다.
오늘의 나를 완전히 죽여야 내일의 내가 태어나는 것이다.
새로운 나로 변신하려면
기존의 나를 완전히 버려야 한다.
당신은 당신의 불길로
스스로를 태워 버릴 각오를 해야 하리라.
먼저 재가 되지 않고서
어떻게 거듭나길 바랄 수 있겠는가?

(니체)

제10장
회의 자세

회의의 기본 자세

한국인들은 회의를 할 적에도
화자(話者)를 쳐다보지 않는 습관이 있습니다.

청와대에서의 국무회의로부터
모든 기관의 회의 모습이 거의 비슷합니다.

특히 직위가 높은 사람이 입을 열면
나머지는 고개를 숙인 채 받아적기에 급급하지요.
감히 왕이나 주인님 앞에서 고개를 못 들고
허리 굽혀 고하고 하명받던
봉건적 계급 문화에서 비롯된 버릇일 터입니다.
우리에게는 너무나 익숙한 광경이지만
선진문명 사회에서는 토픽감입니다.

기실 메모를 하는 것도
그렇듯 머리 처박고 하는 게 아닙니다.
바른 자세로 고개를 바로세운 채
상대[話者]에게로 상체를 틀어 화자의 눈을 주시하면서
종이를 보지 않고
한 손으로 요점을 메모하는 것이 정격입니다.
서너 번만 연습하면,
메모지를 안 보고도 받아쓸 수가 있습니다.

누군가가 말을 하면,
상체를 돌려 그 사람의 눈을 바라보는 것이 기본이지요.
그걸 '주목(注目)'

영어로 '어텐션(Attention)'이라 합니다.

초등학생들도 다 아는 일입니다만

한국 사람들은 여간해서 지키지 못하고들 있습니다.

경청(敬聽)이란 눈으로 듣는 것입니다.

테이블, 핸드백, 손 뒤로
숨지 마라!

미국이나 프랑스 대선 토론의 경우,

사회자가 있을 때에만 한 테이블에서 진행할 뿐,

양 후보끼리 토론을 할 때에는

중간에 아무것도 없이 텅 빈 무대에서

무선 마이크 하나씩만 들고 논쟁합니다.
말 그대로 진검 승부, 맞장 뜨는 것이지요.
명사들의 TV 토론도
한중간에 테이블 없이 소파나 의자에
바로 마주 보고 앉아서 열띤 논쟁을 벌입니다.

그에 비해 한국의 대선 후보들은 TV 토론을 할 때
반드시 사회자를 가운데 방호벽으로 '끼워' 두고
따로 각자의 책상 앞에 멀찍이 떨어져 앉아서
토론합니다.

게다가 원고는 물론 예상 질문 답변 자료 뭉치에
필기도구까지 책상에 너절하게 펼쳐 놓습니다.
'책상 뒤에 숨어서' 토론하는 거지요.

대학의 강의실에서건
정규 사회 성인들의 강연장에서건
한국인들은 앞줄에 앉거나 서기를 꺼려 하여 항상
중간이나 뒷줄로 도망하듯 몰립니다.
얼핏 겸양의 의미로도 보일 수 있지만

실은 두려운 것입니다.

또 한국의 강의나 토론은 거의 예외 없이
책상을 놓고 의자에 앉아 진행합니다.
의자만 놓고 하는 경우는 거의 없습니다.
이는 당당하게 자신을 펼쳐 보일
자신이 없기 때문입니다.
해서 무의식중에 책상을 은폐물로 삼고
자신을 그 뒤로 숨기는 것이지요.

게다가 회의나 상담중 테이블 밑으로
두 팔을 내리는 한국인들이 의외로 많습니다.
이는 "더 이상 당신과 말하기 싫다!"
"할 말 없으니 빨리 끝내자!"는
의미로 받아들여집니다.

그리고 테이블 위에서 두 손을 모으는 습관이 있는데,
이 역시 좋지 않은 버릇입니다.
무의식적으로 두 손을 은폐물로 삼아
그 뒤로 숨는 것으로

"졌으니 잘 좀 봐 달라!"고
애원하는 모양새가 됩니다.

그렇다고 팔꿈치를 책상 위로 올리는 것은
호전적인 모드로 무례입니다.

두 팔을 모두 책상 위로 올려
상체를 기대는 듯한 자세를 취하면,
체력적으로 지쳐 간다는 표시이기 때문에
협상 상대는 더욱 꼿꼿하게 강압적으로 나옵니다.

책상이든 식탁이든 어떤 테이블에서건
상대가 있을 적엔 두 손을 위로 올리되
손목 부위가 책상 가장자리에 살짝 걸치게 하고,
양 어깨폭을 11자 모양으로 나란히 벌려
상대에게 가슴(마음) 등 모든 것을 열어 놓고
당당하게 토론이나 협상에 임해야 합니다.

속이 훤히 들여다보이는
한국인들의 협상 자세

그런가 하면 거의 대부분의 한국 여성들은
상담이나 대화를 할 때
가방이며 핸드백을 자신의 무릎 위에 올려놓습니다.
짧은 치마 때문에

사타구니를 가리기 위해서이기도 하지만,
실은 그 가방이 책상과 같은
은폐물 역할을 하기 때문이지요.

그러나 큰 가방이라면 옆의 의자나 바닥에 내려놓고,
핸드백이라면 엉덩이 옆이나
뒤쪽에 쿠션삼아 놓고서
상대와 당당하게 마주해야 합니다.

그리고 대담을 나누는 사이사이에

손으로 얼굴 부위를 매만지는 경우가 많습니다만,
이 역시 무매너로 쓸데없는 제스처입니다.
상대의 질문이나 요구에 대답할 자신이 없어 신경을
분산시키려는 무의식적인 동작들이기 때문입니다.

여성들은 특히 고개를 흔들어서
머릿결을 젖히는 동작을 하는 경우가 많은데
이 또한 아직 소녀 취향적인, 어린 시절에 밴
나쁜 버릇을 못 버린 성장장애나 발달장애,
얼치기 성인들의 전형적인 동작으로 오해받거나
준비가 덜된 상태로 나온 것으로 오해받기 쉬우니
부득불 조심해야 합니다.

어쨌든 머리를 어루만지던 기름기 묻힌 손으로
무심코 악수를 한다는 것 자체가 상대방에게
불쾌한 비위생적 혐오감을 유발시키는 것은 물론
'자기 제어가 전혀 안 되는 못 믿을 사람이구나!' 하는
인상을 줄 수도 있습니다.

그러니 처음부터 아예 그러한 버릇을 들이지 않도록

테이블 위에 손목을 꽉 붙여 놓는 게
냉혹한 비즈니스 현실에서 살아남는 길입니다.

그리고 협상이 난관에 부딪히거나
곤란한 상황에 처하면
대부분의 한국 사람들은 입을 앙다물거나
입이 비뚤어질 정도로 입술에 힘을 주는데,
이 역시 금물입니다.

이는 상대방으로 하여금
오히려 더 잔인하게 짓밟고 싶은,
동물적 추격 본능을 유발시키는,
자기 페이스 상실의 어리석은 행동일 뿐입니다.
포커페이스 기조 유지, 온화한 얼굴 표정
연기 연출만 해야 합니다.

기타 소통의 장애물은
과감하게 제거해야 합니다.
상대의 시선을 불필요하게 분산시키는,
지나치게 화려한 넥타이나 브로치·

블라우스 · 스카프 등이며,

연예인 흉내낸 튀는 복장과 핸드백·구두 등도

비즈니스 무대에선 삼가야 합니다.

새빨간 입술 등 튀는 화장 역시 마찬가지입니다.

아마추어임을 자처하는 꼴입니다.

그리고 한국인(특히 교수나 교수 출신 관료들) 중에는

회의중 둘째손가락이나 필기구 등을 들고

흔들면서 말을 하는 이들이 있는데,
이는 매우 무례한 매너입니다.
서구인들은 이를 삿대질이나 공격적인 행위로
인식하기 때문에 심히 불쾌해합니다.

현란한 손 제스처는
소통을 방해하기 때문에 자제해야 하며,
꼭 필요할 경우 한 손가락이 아닌
손 전체를 사용해야 합니다.
펜은 메모할 때에만 들었다가,
마치면 바로 내려놓아야 합니다.

아무쪼록 회의나 상담을 할 때에는 시종일관 주목하며,
상대방의 표정에 특히 주의를 기울여야 합니다.
상대방의 의도를 잘 이해하고,
공감하고 있다는 사실을
때때로 알리는 것도 중요합니다.

한국인 최악의 매너는
곁눈질

테이블 앞에서 옆사람과 대화를 나눌 때
한국인들은 곁눈질을 하거나
고개만 돌려 상대를 바라보는데,
이는 최악의 무매너입니다.

국제회의나 세미나 등에서
연단에 오른 외국인 강연자들은
다른 강연자들이 발언할 때 일제히 그를 주목하지만,
한국인 강연자들은
예외 없이 멍하니 앞만을 바라보거나
고개 숙여 제 원고를 들여다봅니다.

대개의 한국인들은
그게 무슨 문제라도 되는 일이느냐고 항변합니다만,
이는 강연자를 무시하는

매우 불손한 행위인 것입니다.

자기가 말을 하고 있는데
누군가가 딴청을 피우는 걸 좋아할 사람은 없지요.
그러니 반드시 상체를 틀어서 연사를 바라보고
경청하는 자세를 취해야 합니다.

정상회담 후,
공동선언문을 발표할 때에도 마찬가지입니다.
심지어 걸어가면서 대화를 나눌 때에도

상대방을 향해 몸을 틀고서
눈맞춤을 지속적으로 유지해 나가야 합니다.

바른 회의 자세를 위해
평소 어디에서든 당당하게 앞으로 나서는 훈련을
애써 해야 하지요.

설령 을(乙)의 처지에서 협상 테이블에 앉았다 해도
고품격 비즈니스 매너로
열세를 극복해낼 수 있어야 하는 것입니다.

그런 게 바로 주인되기 연습입니다.

글로벌 본선 무대의 리더십은
그런 사소한 습관에서부터
하나하나 길러지고 키워져 나가는 것임을 명심한다면,
언젠가 자신이 리더로 성장해 가고 있음을
느끼게 될 그런 날이 반드시 올 것입니다.

좋은 평판을 쌓는 방법은,
당신이 보여주고 싶은 모습을 갖추기 위해
노력하는 것이다.

(소크라테스)

제11장

박수

박수로 주목받고,
주인공되기

한국인들만큼 박수와 칭찬에 인색한
민족도 드물 것입니다.

까짓 박수가 뭐 그리 힘든 것이라고 아낄까요?

어디 박수뿐인가요!
미소나 입발림 추임새 역시
인색하기 짝이 없습니다.
그만큼 감정 표현에 서툴다는 말이겠지요.

이런 현상에는 한국인 특유의 귀찮이즘이
깔려 있다고 할 수도 있겠고,
다른 사람들의 눈치를 보는 체면치레
(어쩌면 하인 근성)도 한몫하고 있다 하겠습니다.

**아무튼 세계적인 스타는
박수 치는 폼부터가 남다릅니다.**

두 손을 모으는 기도나 인사에도
존중의 등급이 있다고 하면,
글로벌 매너에 무심한 한국인들은 예외 없이
설마하고 의아스러운 얼굴을 해보입니다.

가령 불교의 나라 태국이나 미얀마에 가보면
그것을 확실히 구분할 수가 있지요.

보통 사람끼리는
두 손을 가슴 앞에서 모으고 인사를 나눕니다.
그렇지만 왕이나 승려·부처님 앞에서는
코나 이마·머리 위로 두 손을 들어올립니다.

한국에서도 부처님께 절을 올릴 때에는 엎드리되
이마를 바닥에 대고,
그것으로도 모자라 두 손바닥을
머리 위 하늘로 받듭니다.

손바닥이 곧 지평(地平),
그러니까 그만큼 자신을 낮춤으로써
한없는 존경심을 표현하는 것이지요.
즉 손의 높이에 따라
경외심의 정도를 나타낸다는 말입니다.

전 세계적으로 무장(武裝)을 갖춘 무인(武人)들은
인사할 때 허리를 굽히지 않습니다.
대신 한쪽 팔을 들어올려
가슴 앞에서 수평으로 가로지릅니다.

그 수평의 팔이 곧 지면(地面)인 셈이지요.
꿇어앉거나 엎드렸음을 대신
그렇게 표현하는 것입니다.

과거 중국에서는 대화중
'황상(皇上)'이란 단어를 입에 올릴 때에는
반드시 두 손을 모아 쥐고
오른쪽 머리 위까지 들어올려
존엄의 예(禮)를 표하여야 했습니다.
입으로만 "황상께서…" 운운했다가는
바로 참수형을 면치 못하였지요.

어디 일상 생활뿐이던가요?
우리 나라 왕조 실록이나 고문서를 보면,
문장 속에서 왕(王)이 나올 때에는
반드시 그 앞에 한 칸 여백을 남겨
예(禮)를 표하였습니다.
또한 사대부들은 자신과 상대의 지위를 비교하여
각각 대문 앞, 마당, 마루, 안방 등에서
손님을 맞았습니다.

올려치는 높임 박수가
글로벌 정격

박수에도 품격이 있습니다.

오른쪽 머리 위로 높이 올려치는 것이
글로벌 진품 박수입니다.

북한의 김정은이 장성택을 처형할 때 내건
죄목 가운데 하나가
공식 석상에서 박수를 헐렁헐렁하게 쳐서
감히 최고존엄자를 무시하였다는 것이었습니다.

북한 김정은이 참석하는 행사에서
단상의 참석자들이 박수 치는 모양새를 보면,
모두들 이마까지 손을 들어올립니다.
그리고 단하의 군중들은
두 손을 머리 위로 최대한 높이 올려서 박수를 칩니다.

남한 사람들은 그러한 광경을 보고서
독재자에 대한 맹목적 칭송의 표현이라 여길 테지만,
실은 그것이 서구와 중국 등 선진문명 사회에서
공히 행해지는 글로벌 정격 박수 매너입니다.

대개의 한국인들은 박수를 칠 때
소리를 크게 내는 데에만 신경을 쓸 뿐
그 손높이에 따른 존경심의 차이에는
별다른 인식이 없습니다.

2002년 월드컵 이후

한국 축구 선수들의 해외 진출이 빈번해지면서

선수들이 입장·퇴장할 때

관중을 향해 박수 치는 모습이 개선되기도 했지만,

아직도 많은 한국 선수들이

제대로 박수를 칠 줄 몰라

세계인 내지는 팬들과 소통하는 데에

감성 차원에서 상당히 미흡한 실정입니다.

특히 관중들을 향해 박수를 칠 때

대개의 한국 선수들은 턱 밑에서 치고 나오는데,
이는 저품격으로서
자신의 이미지를 깎아내리는 행위입니다.
몰랐다는 변명이 용납되지 않는,
"그 선수? 근본이 의심되는…"
대형 사고입니다.

처형당한 장성택처럼
자기 배꼽 근처에서 박수를 치는 것은
상대를 그만큼 얕잡아본다는 의미이며,

명치나 가슴 부근에서 치는 박수는
'너와 내가 동격'이니 맞먹자는
내심의 표현입니다.

통상적으로는 눈높이까지 올려서 치는 것이
환대와 칭찬의 정격 매너입니다.
또 이마 위로 높여서 치는 박수는
그만큼의 존경심을 나타내는 것입니다.

그리고 이마 위로 올리되

오른쪽으로 당겨서 치는 것은
글로벌 정품격으로
최고 존중의 의미를 담은 박수입니다.

게다가 이는 한국 교회에서
"우리 모두 하나님께 감사와 영광의 박수를
올려 드립시다!" 할 때
반드시 적용되어야 할 'Must' 매너입니다!

특히 외국의 유명 영적 지도자를 초청한

국제적 대형 집회에서는 '반드시'입니다!
어글리 코리안, 국격 디스카운트 방지에
절대 도움이 됩니다.

그러니 링이나 운동장에서 관중의 응원을 유도하거나,
그라운드 동료들을 격려하기 위해
박수를 칠 때에는 무조건
오른쪽 머리 위로 두 손을 치켜올려야 합니다.

널따란 실내 경기장이나 그라운드에서
개개인의 박수 소리의 크기는 아무런 의미가 없습니다.
오직 시각 이미지로 전달될 뿐입니다.

연설 후의 풍성한 높임 박수,
돌진 악수

요즈음은 각종 국제회의며 세미나·포럼 등,
모임에 나갈 기회가 많아졌습니다.
이때에도 한국인들은 모두 앉은 채로
명치 아래께에서 박수를 칩니다.

또 사회자나 연사가
직접 박수를 유도 내지는 강요해서야,
그마저도 마지못해 치는 바람에
분위기가 내내 어색할 때가 있습니다.

초청 연사가 자신이 마음에 정해 놓은
주요 타깃 인사일 경우
스피치가 끝나면 좌우 눈치 몰수하고,

박수를 높이 치면서 자리에서 일어나
앞으로 나아가야 합니다.

그러고는 연단에서 내려오는 연사에게 다가가
허리 꼿꼿이 세운 바른 자세로,
눈 미소와 함께 악수를 청하면서
"너무 감명 깊고 유익해서 많은 도움을 받았다!"는
식의 입발림 상투 문구들을 늘어놓으면서
명함을 주고받습니다.

운이 좋으면 그 유명 인사와 악수하는 모습이
저녁 9시 TV뉴스 장식용으로 매스컴에
오를 수도 있지 않을까요?

그게 아니라면 함께 온 친구에게 인증 샷을 부탁,
두 사람이 악수하는 멋진 사진을 골라
연사에게 보내주어
자신의 존재를 기억시킬 수도 있습니다.

아무튼 연단의 연사는

청중들 개개인의 박수 소리를 기억하는 것이 아니라,
박수 치는 시각 이미지(외양적 매너 모습)만을
기억한다는 사실을 명심해야 합니다.

박수 하나 글로벌 신사처럼 잘 치는
연기 연출만으로도 참석자들의 주목을 끌어
자신을 주요 인물로 돋보이게 할 수 있는 거지요.

'청각 전달' 보통 박수보다
'시각 이미지 전달' 높임 박수가 포스 만점입니다.

그리고 관중의 응원과 박수에 대한
답례를 해야 할 때에는
역시 레이건 대통령의 사진에서처럼
오른쪽 머리 위로 두 손을 치켜들어
마주 잡고 흔들어 주는 것이 정품격 매너입니다.
이는 감사의 표시 겸 다음에 또 보자는
기약의 의미가 담겨 있습니다.

언젠가 국내 어느 케이블 TV의 여행 프로그램에서,

경제 사정이 어려운 중앙아시아의

한 허름한 재래시장 아줌마 상인이

현지 로케 촬영팀과 작별할 때 보여준 인사법이

바로 이 '두 손 마주 잡아 눈 미소와 함께

머리 위에서 흔드는' 글로벌 정격 폼이어서

필자도 깜짝 놀란 적이 있습니다.

그런가 하면 드물게 서양인들도

허리를 굽혀 인사할 때가 있습니다.
신사가 숙녀나 VVIP 귀부인의 손등에 키스할 때,
또 배우나 가수가 무대에서
수많은 관객들의 박수에 답례할 때
아주 우아하게 상체를 굽혀
스테이지 바우(stage bow)를 합니다.

2002년 월드컵 때 히딩크 감독이
그라운드에서 관중들의 응원에 답례할 때
몇 차례 스테이지 바우를 한 적이 있지요.
우아한 드레스를 입은 가수나 연주자의 경우
지체 높은 신사나 여왕에게 하듯
커트시(curtsy)로 무대인사를 하기도 합니다.

아무튼 정품격 '소통 박수' 하나만으로도
글로벌 본선 무대 직행 티켓을
거머쥘 수도 있습니다.

행운을!

【후기】
럭셔리 매너로 자기 완성을

에티켓과 매너의 경계를 명확하게 구분하기란 쉽지 않은 일이지만, 매너 플랫폼에서 에티켓은 수면 위로 드러난 빙산의 일각에 비할 수 있겠습니다. 남을 인정하고 소통하고자 하는 의지를 지닌 세계관과 마음자세하에서 이를 가능케 하는 기본 몸자세 및 그것을 실현해내는 세부 동작 믹스들이 곧 에티켓 각론이라면, 그 효과를 증폭시키는 인문학적 도구들을 포함한 사회 교섭 문화 내공 전반이 매너의 영역입니다. 그러니까 매너(manners)란 도구(tools)이자 방법(methods), 수단(means)이자 기술(techniques)이라 할 수 있습니다.

에티켓이란 사회 생활에서 일어날 수 있는 충돌을 방지하기 위해 지켜야 할 최소한의 예절이지만, 매너는 사회적 적극적 교섭 문화입니다. 에티켓은 자신에 대한 방어책이지만, 매너는 존중과 감동을 통한 상대와의 진정한 소통입니다. 예의바른 척 시늉하는 소셜 에티켓만을 매너라 하기엔 충분치 않습니다.

가령 버스에 오를 때 줄을 서 차례를 지키는 것은 에티켓이지만, 그 버스를 타기 위해 헐레벌떡 뛰어오는 누군가를 위해 문 앞에서 버스의 출발을 막고 기다려 주는 것은 매너라 할 수 있겠습니다. 그런가 하면 침몰해 가는 '타이태닉'에서 끝까지 연주를 멈추지 않은 악사들은 인간존엄성에 기반한, 숭고한 매너를 구현했다 하겠습니다.

에티켓은 최소한의 규칙이지만, 매너는 큰바위얼굴 같은 주인되기 품격입니다. 규칙이나 규정은 매뉴얼화할 수 있지만, 매너는 한계가 없는 내공입니다. 에티켓을 지식에 비한다면, 매너는 지혜와 같은 것이지요.

물론 에티켓이든 매너든 상대를 위한 것만이 아닙니다. 궁극적으로 자기 존중, 인간존엄성 확보를 위한 것입니다. 에티켓의 실수로 인한 결례는 일회성 해프닝으로 끝날 수 있겠지만, 무매너로 인한 '품격 낮음'은 영원한 낙인이 됩니다.

그렇지만 고품격 글로벌 매너를 누구나 아무 때고 단기간

에 쉬이 배울 수 있는 것은 아닙니다. 신분에 따른 성장
과정과 사회 문화를 통해 장기간에 걸쳐 자연스레 습득
되는 것이니까요. 선진국으로 유학을 간다고 해서 저절로
습득되지도 않습니다.

게다가 매너는 아무에게나 편한 마음으로 가르쳐 줄 수
있는 성질의 것도 아닙니다. 남의 개인적 약점에 대해 말
하지 않는 것이 예의이고, 약육강식 글로벌 무한경쟁 정
글사회의 기본 덕목이자 중요 생존 노하우이기 때문입니
다. 결국 실전을 통해 스스로 문제를 깨달아 습득해야 하
지만, 그게 결코 쉬운 일이 아닙니다. 그에 비해 에티켓
은 학습이 가능한 일종의 직업 훈련(vocational training)
매뉴얼입니다. 특히 사회 계층의 하부에 속한 서비스산업
하위기능직 종사자가 중상부 손님인 젠틀맨을 대하기 위
해서 배워야 하는 것이 에티켓입니다.

264
265

배우지 못하면 모른다

인성이야 원래 타고나는 것이지만, 매너[禮]는 기술과 마
찬가지로 학습을 통해 습득하지 않으면 알 수 없습니다.
서구에서는 간혹 졸부들이 상류층 커뮤니티 진출을 위해

독선생 과외수업으로 매너를 배우기도 하지만, 선진문명 사회의 중류층 이상이면 누구나가 다 그렇게 생활하고 있기 때문에 굳이 따로 책으로 묶어내야 할 필요를 느끼지 않습니다. 해서 대부분의 서구 발간 소셜 에티켓 책의 용도는 일반 사회 생활 초년생들과 같은 정규 무대 미숙자들을 위한 사교 예절 에티켓 실무 지침입니다.

글로벌 비즈니스 매너 교육은 서비스업종 하위기능직을 위한 손님 응대 요령 직업 훈련 연장선상에서 이루어져서는 절대 안 됩니다. 더욱이 전인적 소통을 활성화시키기 위한 정통 매너를 가르치려 한다면, 반드시 회사의 주인장 CEO와 상대 기업 CEO 간의 전인적 비즈니스 소통을 가능케 하는 리더십 프로그램이어야만 합니다. 고객만족 (CS: Customer Satisfaction) 강사들의 집사 혹은 웨이터식 매너 강의는 기실 비즈니스 상대방과의 소통 및 CEO의 리더십과 전혀 무관하다 하겠습니다.

물론 의례적인 에티켓과 달리 글로벌 매너에서는 어느것이 맞다 틀리다, 옳다 그르다고 단정지을 수 없습니다. 단지 매너가 있다 없다, 또는 품격이 높다 낮다고 할 수 있을 뿐이지요. 옛것이라 해서 귀하고, 새로운 것이라 해서

천한 것이 아닙니다. 그러니 굳이 전통을 따라야 할 이유 또한 없습니다. 이미 글로벌 무대에서 검증된 매너 습득은 물론 보다 창의적이고 럭셔리한 매너로 자신의 품격을 높여 나가야 합니다. 매너는 감동입니다.

기술이나 디자인과 마찬가지로 품격엔 상한선이 없습니다. 하여 큰 이익이 놓여 있는 글로벌 비즈니스 1부 리그 세계일수록 고품격 매너로 경쟁합니다. 품격 없인 어떤 기술도 디자인도 부가가치를 높일 수 없습니다.

대한민국은 상품을 만들어내는 기술이나 디자인에서는 세계 최고 수준이지만, 글로벌 매너나 품격은 세계 최하위입니다. 세계 10위의 무역대국임에도 불구하고 개인 국민소득이 3만 불을 넘어서지 못하는 것은 바로 이 품격에 대한 인식 부족, 그리고 그로 인한 코리아 디스카운트 때문이라 할 수 있습니다.

국격을 높이지 못하면 결코 선진국 문턱을 넘어설 수 없습니다. 품격 없는 소득 상승은 오히려 타락을 부추기는 재앙입니다. 작금 한국의 처지가 그렇습니다. 따라서 기업 CEO는 물론 대기업 오너, 국가 최고지도자부터 고품격 글로벌 매너로 자신을 재(再)디자인하는 것이 그 무엇보다 시급한 일입니다. 디자인의 궁극은 품격입니다.

매너가 사람을 만들고, 품격이 명품을 만든다

배보다 배꼽이 더 큰 것이 명품입니다. 명품은 못 만들면서도 한국은 손꼽히는 명품 소비대국입니다. 그렇다고 한국인들이 선진국 시민들만큼이나 품격이 높아 보이지도 않습니다. 비싼 명품을 가지려는 목적은 대부분 과시일 것입니다. 매너 없는, 품격 낮은 사람들의 명품 치장은 가식에 지나지 않습니다. 격에 어울리지 않는 명품은 오히려 거북함, 역겨움을 유발하지요.

하여 파리지앵들은 굳이 명품으로 자신을 꾸미지 않습니다. 대개는 비싸지 않은 수수한 차림입니다. 돈 많은 멋쟁이로 꾸며 부러움을 사기 전에 먼저 자기 완성을 통해 인격적으로 존중받는 것에 더 무게를 두기 때문입니다. 사실 명품 사재기보다 매너를 익혀 자신의 품격을 높이는 것이 훨씬 경제적일 것입니다. 명품은 낡아 파손되거나 심지어 빼앗기기도 하고 잃어버릴 수도 있지만, 매너는 그렇지 않습니다.

'대부분의 사람들은 미지의 행복보다는 익숙한 불행을 선택한다'고 심리학자들은 말합니다. 청소년들이 밤 새워 공부를 하는 이유는 그를 통해 좋은 직업과 직장을 구해 경제적 성공을 거두고 신분을 상승시킬 수 있기 때문일 것입니다. 공부만큼 자기 가치를 높이는 쉽고 빠르고 확실한 방법도 다시없지요. 하지만 그 때문에 경쟁이 더없이 치열합니다. 그 경쟁에서 밀리면 삶이 불행해지기 십상이지요. 그렇다고 어찌 공부만이 성공으로 가는 길이겠습니까. 매너를 익히면 다른 수많은 길들이 보입니다. 없는 길은 만들어 나갈 수 있습니다. 굳이 공부에만 모든 것을 걸 이유가 없습니다. 일등은 경쟁을 통해 쟁취하는 것이지만, 일류는 자기 완성을 통해 성취하는 것이니까요.

그외에도 많은 사람들이 외국어, 인문학, 골프, 댄스, 오페라, 수영, 와인 등등을 배우기 위해 적지않은 시간과 돈을 투자하고 있습니다. 모두가 자기 가치를 높이기 위해서일 것입니다. 그런데 정작 중요한, 이런 것들을 삶이나 비즈니스 현장에서 창조적 솔루션으로 구현시켜 줄 수 있는 도구, 즉 글로벌 비즈니스 매너에 대해서는 인식조차 못하고 있어 안타깝습니다. 하여 투자 대비 부가가치가 보잘것없거나 아예 본전도 못 건지는 경우가 허다한 실정입니다. 아무튼 크게 성공하고 부자가 되고서도 우아하게 삶을 가꾸지 못해 저속한 부류로 떠밀린다면 참으로 애석한 일이겠습니다.

혹 독자들 중에는 이 책에서 다루는 소위 글로벌 매너에 대해 거북해하며 동의할 수 없다는 분들도 상당히 많을 것입니다. 우리가 왜 서구식을 따라 해야 하느냐고 말입니다. 복식, 음식, 오락, 스포츠, 법률, 제도 등등 다른 모든 것은 경쟁적으로 받아들여 급속하게 글로벌화하면서도 유독 매너(예절)에 대해서만은 관대하지 못합니다.

우리가 전통적이라고 주장하는 것들도 실은 모두 과거 중국의 것입니다. 누천년 동안 우리에겐 중국이 세계의 중심이었고, 중국의 문물과 제도가 글로벌 표준이었으니까요. 그러나 지금은 아닙니다. 세계가 하나입니다. 매너도 문화입니다. 문화는 끊임없이 뒤섞이고 변질되고 창조되어 가고 있습니다. 그러니 당장에 가장 경쟁력 있는, 세계와 소통하기에 가장 유리한 매너를 습득하는 것이 마땅하겠습니다. 그래야만 선진 주류사회로 진입할 수 있고, 나아가 세계 문화를 선도해 나갈 수 있습니다. 과거에 동방예의지국이었듯이 이제는 글로벌매너지국이어야 합니다.

2014년 10월 《품격경영-상위 1%를 위한 글로벌 교섭문화백서》(상/하)를 펴낸 이래 대학의 최고경영자과정이나 기업들에서 강연 요청이 이어져 바쁘게 해를 보냈습니다. 특히 유학중이거나 해외 생활을 오래 경험한 분들로부터 감사와 호응을 많이 받았는데, 그때마다 이 글로벌 매너를 직접 배울 수 있는 아카데미를 개설할 것과 청소년들이 쉽게 사볼 수 있도록 보급판을 만들어 달라는 요청이 있었습니다. 하여 이번에 '글로벌리더십아카데미'의 개원과 때를 같이하여 교재용으로 본서를 발간하게 되었습니다. 계속해서 시리즈로 펴낼 예정이며, 항간에 화두가 되고 있는 '인성교육' 교재로도 활용되기를 기대합니다.

참으로 많은 분들이 이 책을 위해 조언과 격려를 아끼지 않았습니다. 끊임없이 글로벌 매너 소재를 제공해 준 휴고 안! 더없이 해박한 지식으로 글쓰기 욕구를 부추겨 준 에드워드 박! 글로벌 무대에서 치열하게 경쟁하며 얻은 경험담들을 아낌없이 보내준 해외의 친구들! 그리고 우리의 희망이자 차세대 글로벌 리더의 아이콘 하림 양! 끝으로 이 책을 우아하게 꾸며준 편집진과, 또 가족에게도 감사의 인사를 전합니다. 독자 여러분에게도 행운을! 더 나은 세상을 위해 계속 함께할 수 있기를!